Comment Wang-Fô fut sauvé

Première de couverture : Roland and Sabrina Michaud/akg-images.
Deuxième de couverture : [h] Heritage Images/Heritage Art/akg-images ; [b] akg-images.
Troisième de couverture : [h] Heritage Images/Fine Art Images/akg-images ; [b] © David Hockney Photo Credit : Richard Schmidt.
Page 53 : © i-stock/grafikazpazurem.
Page 76 : Yannick Bellon/akg-images.

170 *bis*, boulevard du Montparnasse, 75680 Paris Cedex 14

ISBN 979-10-358-2353-5
ISSN 1958-0541

CLASSICOCOLLÈGE

Comment Wang-Fô fut sauvé

MARGUERITE YOURCENAR

Dossier par Olivier Thircuir

Agrégé de lettres modernes

BELIN ■ GALLIMARD

Sommaire

Introduction

En 1935, Marguerite Yourcenar, anagramme de Crayencour, son vrai nom, commence l'écriture du recueil des *Nouvelles orientales* lors d'une longue croisière en Méditerranée qui la mène vers Istanbul, aux portes de l'Orient. Elle a alors 32 ans et est une jeune écrivaine, que le succès n'a pas encore couronnée. Celle qui sera l'une des plus grandes autrices françaises du XXe siècle, première femme élue à l'Académie française en 1980, mène à cette époque une existence riche de voyages, et a connu la passion et le chagrin amoureux. En 1937, elle rencontrera Grace Frick, avec qui elle passera le reste de sa vie aux États-Unis.

La nouvelle *Comment Wang-Fô fut sauvé* ouvre ce recueil de nouvelles tourné vers l'Orient. S'y déploie l'art d'une autrice talentueuse, passionnée de cultures étrangères, de poésie et d'histoire. Les personnages sont orientés vers un destin surprenant et tragique. Ici, le drame se joue à trois, entre un peintre, son disciple et l'Empereur du royaume de Han, dans une Chine peinte à l'encre noire de la violence. Les tableaux, plus vrais que nature, de Wang-Fô, artiste humble et aimé, surprennent le lecteur par leur beauté et leur mystère. L'art du peintre reflète ainsi l'art de l'écrivaine.

Le vieux peintre Wang-Fô et son disciple[1] Ling erraient le long des routes du royaume de Han[2]. Ils avançaient lentement, car Wang-Fô s'arrêtait la nuit pour contempler les astres, le jour pour regarder les libellules. Ils étaient peu chargés, car Wang-Fô aimait l'image des choses, et non les choses elles-mêmes, et nul objet au monde ne lui semblait digne d'être acquis, sauf des pinceaux, des pots de laque[3] et d'encres de Chine, des rouleaux de soie et de papier de riz[4]. Ils étaient pauvres, car Wang-Fô troquait[5] ses peintures contre une ration de bouillie de millet[6] et dédaignait[7] les pièces d'argent. Son disciple Ling, pliant sous le poids d'un sac plein d'esquisses[8], courbait respectueusement le dos comme s'il portait la voûte céleste[9], car ce sac, aux yeux de Ling, était

1. **Disciple** : personne qui reçoit l'enseignement d'un maître.
2. **Royaume de Han** : Chine, à l'époque de la dynastie des Han (IIe siècle av. J.-C.-IIe siècle apr. J.-C.).
3. **Laque** : vernis d'un rouge brun.
4. **Rouleaux de soie et de papier de riz** : supports pour la peinture.
5. **Troquait** : échangeait.
6. **Millet** : céréale.
7. **Dédaignait** : méprisait.
8. **Esquisses** : premières formes d'un dessin.
9. **Voûte céleste** : ciel. Dans la mythologie grecque, Atlas est un Titan condamné à porter sur ses épaules la voûte céleste.

rempli de montagnes sous la neige, de fleuves au printemps, et du visage de la lune d'été.

15 Ling n'était pas né pour courir les routes au côté d'un vieil homme qui s'emparait de l'aurore et captait le crépuscule[1]. Son père était changeur d'or[2]; sa mère était l'unique enfant d'un marchand de jade[3] qui lui avait légué ses biens en la maudissant parce qu'elle n'était pas un fils. Ling avait grandi dans une 20 maison d'où la richesse éliminait les hasards. Cette existence soigneusement calfeutrée[4] l'avait rendu timide : il craignait les insectes, le tonnerre et le visage des morts. Quand il eut quinze ans, son père lui choisit une épouse et la prit très belle, car l'idée du bonheur qu'il procurait à son fils le consolait d'avoir 25 atteint l'âge où la nuit sert à dormir. L'épouse de Ling était frêle comme un roseau, enfantine comme du lait, douce comme la salive, salée comme les larmes. Après les noces, les parents de Ling poussèrent la discrétion jusqu'à mourir, et leur fils resta seul dans sa maison peinte de cinabre[5], en compagnie de sa jeune 30 femme, qui souriait sans cesse, et d'un prunier qui chaque printemps donnait des fleurs roses. Ling aima cette femme au cœur limpide[6] comme on aime un miroir qui ne se ternirait pas, un talisman[7] qui protégerait toujours. Il fréquentait les maisons de thé[8] pour obéir à la mode et favorisait modérément les acrobates 35 et les danseuses.

Une nuit, dans une taverne, il eut Wang-Fô pour compagnon de table. Le vieil homme avait bu pour se mettre en état de mieux peindre un ivrogne ; sa tête penchait de côté, comme s'il s'efforçait de mesurer la distance qui séparait sa main de sa tasse.

---

1. **Aurore** : moment où le soleil se lève ; **crépuscule** : déclin du jour.
2. **Changeur d'or** : banquier qui fait le change des monnaies.
3. **Jade** : pierre fine, à la teinte entre le vert et le blanc.
4. **Calfeutrée** : protégée.
5. **Cinabre** : rouge.
6. **Limpide** : ici, pur.
7. **Talisman** : objet ayant un pouvoir magique.
8. **Maisons de thé** : salons de thé.

L'alcool de riz déliait la langue de cet artisan taciturne[1], et Wang ce soir-là parlait comme si le silence était un mur, et les mots des couleurs destinées à le couvrir. Grâce à lui, Ling connut la beauté des faces de buveurs estompées[2] par la fumée des boissons chaudes, la splendeur brune des viandes inégalement léchées par les coups de langue du feu, et l'exquise roseur des taches de vin parsemant les nappes comme des pétales fanés. Un coup de vent creva la fenêtre ; l'averse entra dans la chambre. Wang-Fô se pencha pour faire admirer à Ling la zébrure livide de l'éclair, et Ling, émerveillé, cessa d'avoir peur de l'orage.

Ling paya l'écot[3] du vieux peintre : comme Wang-Fô était sans argent et sans hôte[4], il lui offrit humblement un gîte[5]. Ils firent route ensemble ; Ling tenait une lanterne ; sa lueur projetait dans les flaques des feux inattendus. Ce soir-là, Ling apprit avec surprise que les murs de sa maison n'étaient pas rouges, comme il l'avait cru, mais qu'ils avaient la couleur d'une orange prête à pourrir. Dans la cour, Wang-Fô remarqua la forme délicate d'un arbuste, auquel personne n'avait prêté attention jusque-là, et le compara à une jeune femme qui laisse sécher ses cheveux. Dans le couloir, il suivit avec ravissement la marche hésitante d'une fourmi le long des crevasses de la muraille[6], et l'horreur de Ling pour ces bestioles s'évanouit. Alors, comprenant que Wang-Fô venait de lui faire cadeau d'une âme et d'une perception[7] neuves, Ling coucha respectueusement le vieillard dans la chambre où ses père et mère étaient morts.

---

1. **Taciturne** : renfermé, qui parle peu.
2. **Estompées** : rendues floues.
3. **Écot** : part.
4. **Hôte** : aubergiste.
5. **Gîte** : logement.
6. **Crevasses de la muraille** : fentes dans le mur.
7. **Perception** : faculté de sentir, par les cinq sens.

Arrêt sur lecture 1

Un quiz pour commencer

Cochez les bonnes réponses.

1 *Dans quel royaume se déroule l'intrigue de la nouvelle ?*

- ❒ Au royaume de Han, en Chine.
- ❒ Au royaume de Ling.
- ❒ Dans l'empire du Japon.

2 *Que fait Wang-Fô la journée quand il ne peint pas ?*

- ❒ Il s'assoit sur un banc et observe les passants.
- ❒ Il regarde les libellules.
- ❒ Il fait la sieste à l'ombre des bambous.

3 *Pourquoi le vieux peintre est-il pauvre ?*

- ❒ Parce qu'il a donné tous ses biens.
- ❒ Parce qu'il dédaigne les pièces d'argent.
- ❒ Parce qu'il s'est fait voler sa bourse.

4 ***Dans quelle famille est né Ling ?***

❒ Dans une famille modeste.

❒ Dans une famille où il ne manquait de rien.

❒ Le lecteur ignore son origine.

5 ***Où la rencontre entre le maître et le disciple a-t-elle lieu ?***

❒ Dans une taverne.

❒ Dans la maison de Ling.

❒ Au croisement de quatre chemins.

6 ***Au moment de cette rencontre, que cherche à peindre Wang-Fô ?***

❒ Un paysage d'orage.

❒ Un ivrogne.

❒ Un prunier à travers la fenêtre.

7 ***Quel temps fait-il la nuit de la rencontre ?***

❒ Il fait nuit noire.

❒ C'est la pleine lune.

❒ Un orage éclate.

8 ***Comment se manifeste la bonté de Ling envers le vieux peintre ?***

❒ Il paie la part du peintre à la taverne et lui propose de l'héberger.

❒ Il lui donne un talisman.

❒ Il lui achète une de ses œuvres.

9 ***Qu'enseigne Wang-Fô à son nouveau compagnon ?***

❒ À percevoir le monde.

❒ À peindre à la laque.

❒ À dessiner à l'encre de Chine.

Des questions pour aller plus loin

→ *Découvrir l'univers de la nouvelle : la peinture de l'Orient*

Deux personnages en miroir

1 Relisez le passage lignes 1 à 14, pages 9-10, et décrivez le mode de vie de Wang-Fô et de Ling. Que pouvez-vous en dire ?

2 Montrez que Ling appartient à un milieu social différent de celui du peintre. Avant sa rencontre avec le peintre, quel genre de vie menait Ling ?

3 Quel type de relation lie Wang-Fô et Ling ? Justifiez votre réponse en vous appuyant sur des citations précises du texte.

Zoom sur la rencontre entre Wang-Fô et Ling (p. 10-11, l. 36-64)

4 Reliez chacun des éléments au sens qui lui correspond.

Éléments	Sens
La nuit •	
L'alcool de riz •	• goût
Les paroles de Wang •	• odorat
La fumée des boissons •	• ouïe
Les viandes •	• toucher
Les taches de vin •	• vue
Les nappes •	

5 Langue Décrivez le cadre de la rencontre. Relevez des compléments circonstanciels pour justifier votre réponse.

6 Quels éléments du décor peuvent donner un caractère mystérieux à cette scène ?

7 Langue Pourquoi cette rencontre ressemble-t-elle à un « coup de foudre » ? Justifiez votre réponse à partir du sens propre et du sens figuré de l'expression.

La découverte du monde

8 Pourquoi peut-on dire que, grâce à son nouveau maître, Ling apprend à voir différemment le lieu de leur rencontre ?

9 Sur quel sens s'appuie cette découverte ? Aidez-vous des éléments exprimant la lumière et la couleur pour justifier votre réponse.

10 Montrez que Ling apprend notamment à mieux voir la nature. Justifiez votre réponse à l'aide de citations précises du texte (p. 11, l. 50-64).

11 Selon vous, pourquoi cette découverte bouleverse-t-elle Ling ? Appuyez-vous sur des éléments du texte pour répondre.

✔ *Rappelez-vous !*

La **nouvelle** appartient au **genre du récit**. Elle est caractérisée par sa **brièveté**. L'intrigue est **simple**, avec peu de péripéties, et le **nombre de personnages est réduit**. Afin de capter l'attention de son lecteur, l'auteur apporte un soin particulier à l'**incipit** (le début) et à la **chute** (la fin de l'intrigue).

De la lecture à l'expression orale et écrite

Des mots pour mieux s'exprimer

1 ***Reliez chaque mot à son origine latine. Vous pouvez vous aider d'un dictionnaire étymologique. Surlignez ensuite dans le mot français la difficulté orthographique.***

Astuce : le *s* latin se retrouve parfois en français sous la forme d'un accent circonflexe.

Maître •	• *acquirere*
Acquérir •	• *discipulus*
Disciple •	• *horror*
Horreur •	• *hospitem*
Hôte •	• *magister*

2 ***Quel matériel Wang-Fô emploie-t-il pour peindre ? Pour répondre, complétez les mots suivants. Vous pouvez vous aider des notes de bas de page du texte.***

L _ Q _ _

_ _ C _ ES _E _ H I_E

_ _ U _ _ AUX DE S _ _ _

P_ _ _ _ R _E _ _ Z

_ _ NC _ _ _ X

3 ***Complétez les phrases avec les mots suivants.***

Calligraphie | Encre | Nature | Paysages | Poète

Réalisme | Sinueux | Soie | Technique | Tradition

Comme la ________________, la peinture chinoise est issue d'une ________________ millénaire. Le peintre est considéré comme un sage, qui mobilise sa ________________ pour représenter la ________________ et les principes qui la gouvernent. Il utilise l'________________ et le pinceau, sur un papier ou sur de la ________________. D'un geste rapide et maîtrisé, le peintre travaille avec un trait mince ou épais, court ou long, droit ou ________________. Il représente des scènes ou des ________________, sans souci de ________________. Le peintre est ainsi un double du ________________.

La parole est à vous

4 ***Préparez un discours de cinq minutes dans lequel vous expliquerez que les arts plastiques permettent de mieux voir le monde.***

Consignes. Après une introduction qui présente le sujet, donnez trois arguments illustrés d'exemples pour justifier votre raisonnement. Concluez en formulant votre point de vue. Vous pouvez vous aider d'un support (un plan rédigé sur une fiche, une présentation ou des images à projeter).

5 ***En utilisant le site de la BnF, réalisez une recherche sur la peinture chinoise.***

Consignes. Choisissez un thème pour illustrer votre propos (la peinture de montagne, la mer et les lacs, le portrait...) et un artiste. Présentez à vos camarades le résultat de vos recherches. Pensez à décrire le matériel du peintre : encre, pierre d'encre, papier, rouleaux, pinceaux.

À vous d'écrire

6 ***Imaginez la rencontre entre Wang-Fô et l'épouse de Ling. Racontez comment le maître lui enseigne l'art de peindre.***

Consignes. Votre texte, d'une trentaine de lignes, reprendra les caractéristiques de la scène de rencontre. Vous utiliserez le vocabulaire des sensations et de la peinture. Vous emploierez des comparaisons inspirées de la poésie chinoise, à la manière de l'auteur.

7 ***Rédigez un courrier adressé à un(e) ami(e) dans lequel vous décrivez un lieu de passage (hôtel, restaurant...) lors d'un voyage.***

Consignes. Appuyez-vous sur le vocabulaire des sensations pour évoquer ce lieu. Vous pouvez vous inspirer de la scène de la taverne (p. 10-11, l. 36-64) et de la partie Zoom p. 14.

Du texte à l'image

• Gong Xian, *Paysage*, 1682-1688, encre sur papier, collection privée.

➡ **Image reproduite en début d'ouvrage, au verso de la couverture.**

Lire l'image

1 Décrivez l'image en vous appuyant sur ce que vous voyez au premier et au deuxième plan ainsi qu'à l'arrière-plan. Quels éléments appartiennent à la nature ? Quel élément du paysage est d'origine humaine ?

2 Que remarquez-vous sur la partie supérieure gauche du tableau ?

Comparer le texte et l'image

3 Quelle différence voyez-vous entre l'œuvre de Gong Xian et l'épisode de l'auberge (p. 10-11, l. 36-49) ? Vous rédigerez un paragraphe argumenté, en vous appuyant sur les réponses précédentes et sur la lecture du texte de Marguerite Yourcenar.

À vous de créer

4 Fabriquez un album avec des paysages réalisés à l'encre par des artistes chinois. N'oubliez pas d'indiquer la légende (titre, auteur, date, technique). Vous pouvez trouver des œuvres sur le site de la BnF, en visitant l'exposition « L'Empire du trait » : **http://expositions.bnf.fr/chine**

[Suite de la page 11]

Depuis des années, Wang-Fô rêvait de faire le portrait d'une princesse d'autrefois jouant du luth[1] sous un saule. Aucune femme n'était assez irréelle pour lui servir de modèle, mais Ling pouvait le faire, puisqu'il n'était pas une femme. Puis Wang-Fô parla de peindre un jeune prince tirant de l'arc au pied d'un grand cèdre[2]. Aucun jeune homme du temps présent n'était assez irréel pour lui servir de modèle, mais Ling fit poser sa propre femme sous le prunier du jardin. Ensuite, Wang-Fô la peignit en costume de fée parmi les nuages du couchant, et la jeune femme pleura, car c'était un présage[3] de mort. Depuis que Ling lui préférait les portraits que Wang-Fô faisait d'elle, son visage se flétrissait, comme la fleur en butte[4] au vent chaud ou aux pluies d'été. Un matin, on la trouva pendue aux branches du prunier rose : les bouts de l'écharpe qui l'étranglait flottaient mêlés à sa chevelure ; elle paraissait plus mince encore que d'habitude, et pure comme les belles célébrées par les poètes des temps révolus[5]. Wang-Fô la peignit une dernière fois, car il aimait cette teinte verte dont se recouvre la figure des morts. Son disciple Ling broyait les couleurs[6], et cette besogne[7] exigeait tant d'application qu'il oubliait de verser des larmes.

---

1. **Luth** : instrument à cordes pincées.
2. **Cèdre** : arbre de la famille des conifères, originaire du Moyen-Orient.
3. **Présage** : signe qui permet de deviner l'avenir.
4. **En butte** : soumise.
5. **Révolus** : passés.
6. **Broyait les couleurs** : préparait les couleurs en écrasant les pigments.
7. **Besogne** : travail.

Ling vendit successivement ses esclaves, ses jades[1] et les poissons de sa fontaine pour procurer au maître des pots d'encre pourpre[2] qui venaient d'Occident. Quand la maison fut vide, ils la quittèrent, et Ling ferma derrière lui la porte de son passé. Wang-Fô était las[3] d'une ville où les visages n'avaient plus à lui apprendre aucun secret de laideur ou de beauté, et le maître et le disciple vagabondèrent ensemble sur les routes du royaume de Han.

Leur réputation les précédait dans les villages, au seuil des châteaux forts et sous le porche des temples où les pèlerins inquiets se réfugient au crépuscule. On disait que Wang-Fô avait le pouvoir de donner la vie à ses peintures par une dernière touche de couleur qu'il ajoutait à leurs yeux. Les fermiers venaient le supplier de leur peindre un chien de garde, et les seigneurs voulaient de lui des images de soldats. Les prêtres honoraient Wang-Fô comme un sage ; le peuple le craignait comme un sorcier. Wang se réjouissait de ces différences d'opinions qui lui permettaient d'étudier autour de lui des expressions de gratitude, de peur, ou de vénération[4].

Ling mendiait la nourriture, veillait sur le sommeil du maître et profitait de ses extases[5] pour lui masser les pieds. Au point du jour, quand le vieux dormait encore, il partait à la chasse de paysages timides dissimulés derrière des bouquets de roseaux. Le soir, quand le maître, découragé, jetait ses pinceaux sur le sol, il les ramassait. Lorsque Wang était triste et parlait de son grand âge, Ling lui montrait en souriant le tronc solide d'un vieux chêne ; lorsque Wang était gai et débitait[6] des plaisanteries, Ling faisait humblement semblant de l'écouter.

---

1. **Ses jades** : bijoux en jade. Le jade est une pierre fine.
2. **Pourpre** : rouge vif.
3. **Las** : fatigué.
4. **Gratitude** : reconnaissance ; **vénération** : mélange d'adoration et de crainte.
5. **Extases** : états de joie intense.
6. **Débitait** : disait.

Un jour, au soleil couchant, ils atteignirent les faubourgs de la ville impériale, et Ling chercha pour Wang-Fô une auberge où passer la nuit. Le vieux s'enveloppa dans des loques[1], et Ling se coucha contre lui pour le réchauffer, car le printemps venait à peine de naître, et le sol de terre battue était encore gelé. À l'aube, des pas lourds retentirent dans les corridors de l'auberge ; on entendit les chuchotements effrayés de l'hôte, et des commandements criés en langue barbare[2]. Ling frémit, se souvenant qu'il avait volé la veille un gâteau de riz pour le repas du maître. Ne doutant pas qu'on ne vînt l'arrêter, il se demanda qui aiderait demain Wang-Fô à passer le gué[3] du prochain fleuve.

Les soldats entrèrent avec des lanternes. La flamme filtrant à travers le papier bariolé[4] jetait des lueurs rouges ou bleues sur leurs casques de cuir. La corde d'un arc vibrait sur leur épaule, et les plus féroces poussaient tout à coup des rugissements sans raison. Ils posèrent lourdement la main sur la nuque de Wang-Fô, qui ne put s'empêcher de remarquer que leurs manches n'étaient pas assorties à la couleur de leur manteau.

Soutenu par son disciple, Wang-Fô suivit les soldats en trébuchant le long des routes inégales. Les passants attroupés se gaussaient[5] de ces deux criminels qu'on menait sans doute décapiter. À toutes les questions de Wang, les soldats répondaient par une grimace sauvage. Ses mains ligotées souffraient, et Ling désespéré regardait son maître en souriant, ce qui était pour lui une façon plus tendre de pleurer.

Ils arrivèrent sur le seuil du palais impérial, dont les murs violets se dressaient en plein jour comme un pan de crépuscule. Les soldats firent franchir à Wang-Fô d'innombrables salles carrées ou circulaires dont la forme symbolisait les saisons, les points

1. **Loques** : vêtements très usés.
2. **Barbare** : étrangère.
3. **Gué** : passage où l'on peut traverser une rivière à pied.
4. **Bariolé** : composé de couleurs vives et variées.
5. **Se gaussaient** : se moquaient.

cardinaux, le mâle et la femelle, la longévité, les prérogatives[1] du pouvoir. Les portes tournaient sur elles-mêmes en émettant une note de musique, et leur agencement était tel qu'on parcourait toute la gamme en traversant le palais de l'Est au Couchant[2]. Tout se concertait pour donner l'idée d'une puissance et d'une subtilité surhumaines, et l'on sentait que les moindres ordres prononcés ici devaient être définitifs et terribles comme la sagesse des ancêtres. Enfin, l'air se raréfia ; le silence devint si profond qu'un supplicié[3] même n'eût pas osé crier. Un eunuque[4] souleva une tenture ; les soldats tremblèrent comme des femmes, et la petite troupe entra dans la salle où trônait le Fils du Ciel[5].

C'était une salle dépourvue de murs, soutenue par d'épaisses colonnes de pierre bleue. Un jardin s'épanouissait de l'autre côté des fûts[6] de marbre, et chaque fleur contenue dans ses bosquets[7] appartenait à une espèce rare apportée d'au-delà les océans. Mais aucune n'avait de parfum, de peur que la méditation du Dragon Céleste[8] ne fût troublée par les bonnes odeurs. Par respect pour le silence où baignaient ses pensées, aucun oiseau n'avait été admis à l'intérieur de l'enceinte, et on en avait même chassé les abeilles. Un mur énorme séparait le jardin du reste du monde, afin que le vent, qui passe sur les chiens crevés et les cadavres des champs de bataille, ne pût se permettre de frôler la manche de l'Empereur.

Le Maître Céleste[9] était assis sur un trône de jade, et ses mains étaient ridées comme celles d'un vieillard, bien qu'il eût à peine vingt ans. Sa robe était bleue pour figurer l'hiver, et verte pour

1. **Prérogatives** : avantages.
2. **Couchant** : l'Ouest.
3. **Supplicié** : personne qui subit une torture.
4. **Eunuque** : homme castré.
5. **Fils du Ciel** : titre honorifique désignant l'Empereur.
6. **Fûts** : colonnes.
7. **Bosquets** : bois.
8. **Dragon Céleste** : titre honorifique désignant l'Empereur.
9. **Maître Céleste** : titre honorifique désignant l'Empereur.

rappeler le printemps. Son visage était beau, mais impassible[1] comme un miroir placé trop haut qui ne refléterait que les astres
170 et l'implacable[2] ciel. Il avait à sa droite son Ministre des Plaisirs Parfaits, et à sa gauche son Conseiller des Justes Tourments[3]. Comme ses courtisans[4], rangés au pied des colonnes, tendaient l'oreille pour recueillir le moindre mot sorti de ses lèvres, il avait pris l'habitude de parler toujours à voix basse.

175 – Dragon Céleste, dit Wang-Fô prosterné[5], je suis vieux, je suis pauvre, je suis faible. Tu es comme l'été; je suis comme l'hiver. Tu as Dix Mille Vies; je n'en ai qu'une, et qui va finir. Que t'ai-je fait? On a lié mes mains, qui ne t'ont jamais nui.

– Tu me demandes ce que tu m'as fait, vieux Wang-Fô? dit
180 l'Empereur.

Sa voix était si mélodieuse qu'elle donnait envie de pleurer. Il leva sa main droite, que les reflets du pavement[6] de jade faisaient paraître glauque[7] comme une plante sous-marine, et Wang-Fô, émerveillé par la longueur de ces doigts minces, chercha dans
185 ses souvenirs s'il n'avait pas fait de l'Empereur, ou de ses ascendants[8], un portrait médiocre qui mériterait la mort. Mais c'était peu probable, car Wang-Fô jusqu'ici avait peu fréquenté la cour des empereurs, lui préférant les huttes des fermiers, ou, dans les villes, les faubourgs des courtisanes[9] et les tavernes le long des
190 quais où se querellent les portefaix[10].

---

1. **Impassible**: qui n'exprime aucune émotion.
2. **Implacable**: dont la fureur ne peut être apaisée.
3. **Tourments**: tortures.
4. **Courtisans**: nobles attachés à la cour impériale.
5. **Prosterné**: incliné.
6. **Pavement**: sol pavé.
7. **Glauque**: d'un vert pâle, blanchâtre, à cause des reflets du jade.
8. **Ascendants**: ancêtres.
9. **Courtisanes**: ici, prostituées.
10. **Portefaix**: porteurs.

Arrêt sur lecture 2

Un quiz pour commencer

Cochez les bonnes réponses.

1 *Quelle est la réputation de Wang-Fô ?*

- ❒ C'est un peintre inconnu.
- ❒ C'est un peintre recherché.
- ❒ C'est un peintre démodé.

2 *Pourquoi Wang-Fô et Ling se retrouvent-ils dans le palais impérial ?*

- ❒ Parce qu'ils ont été arrêtés par les soldats de l'Empereur.
- ❒ Parce qu'ils accompagnent un ambassadeur venu du Japon.
- ❒ Parce qu'ils sont invités par l'Empereur.

3 *Pourquoi Ling se sent-il responsable de cette situation ?*

- ❒ Parce qu'il a tué sa jeune épouse.
- ❒ Parce qu'il a volé toutes ses richesses.
- ❒ Parce qu'il a dérobé un gâteau de riz.

4 ***Que symbolisent les salles du palais royal ?***

- ❐ Les saisons et les points cardinaux.
- ❐ Le masculin et le féminin.
- ❐ Les avantages du pouvoir.

5 ***Qu'entendent Wang-Fô et Ling dans le palais impérial ?***

- ❐ Des airs de cithare.
- ❐ Le chant du rossignol et le murmure mélodieux des fontaines.
- ❐ Un étrange silence.

6 ***Dans quelle matière est sculpté le trône impérial ?***

- ❐ Ivoire.
- ❐ Albâtre.
- ❐ Jade.

7 ***Comment l'Empereur est-il désigné par le narrateur ou par les personnages ?***

- ❐ Excellence.
- ❐ Dragon Céleste.
- ❐ Majesté.

8 ***Quels personnages sont placés de part et d'autre de l'Empereur ?***

- ❐ Le bourreau et son secrétaire particulier.
- ❐ Le ministre des Plaisirs Parfaits et le Conseiller des Justes Tourments.
- ❐ Des gardes impériaux.

9 ***Quelle est la position de Wang-Fô face à l'Empereur ?***

- ❐ Il est prosterné.
- ❐ Il est agenouillé.
- ❐ Il se tient droit.

Des questions pour aller plus loin

→ *Étudier un espace fantastique : le palais impérial*

L'arrestation

1 Langue En quoi peut-on dire que l'intrigue a basculé ?
Pour répondre, appuyez-vous en particulier sur les compléments circonstanciels de temps et de lieu.

2 Associez les personnages à leurs faits et gestes dans l'auberge.

		• Chuchoter
Ling	•	• Frémir
Wang-Fô	•	• Se coucher contre son maître
L'hôte	•	• Se couvrir de vieux vêtements
		• Voler

3 Dans le rectangle ci-contre, ou sur papier libre, dessinez un des soldats de l'Empereur. N'oubliez pas la lanterne, l'arc, les manches de couleur et le manteau.

4 Après l'arrestation, quelles sont les émotions de Ling, des soldats et des passants qui assistent à la scène ? Justifiez votre réponse en vous appuyant sur des citations précises du texte.

Zoom sur le palais impérial (p. 22-23, l. 138-164)

5 Langue Complétez le tableau suivant en relevant dans le passage des mots décrivant le palais.

Champ lexical des sons	Champ lexical des couleurs	Champ lexical des formes
– – – – –	– – – – –	– – – – –

6 Montrez que le palais exprime la puissance impériale. Donnez au moins deux arguments pour justifier votre réponse.

7 Quels éléments de la description du palais visent à susciter l'inquiétude du lecteur ? Relevez trois exemples pour justifier votre réponse.

Un face-à-face étrange

8 **Langue** L'Empereur ne supporte pas les parfums.
Relevez une proposition subordonnée de but qui l'illustre.

9 a. **Langue** Classez selon leur nature les différentes formes de négation soulignées.

① aucune n'avait de parfum

② dépourvue

③ aucun oiseau n'avait été admis de peur que la méditation du Dragon Céleste ne fût troublée par les bonnes odeurs

b. Relevez d'autres éléments indiquant que l'Empereur vit coupé du monde.

10 Comment jugez-vous ce palais et ses jardins ? Constituent-ils un lieu attirant ou inquiétant ? Vous rédigerez un paragraphe argumenté pour défendre votre point de vue.

11 À partir des réponses précédentes, dans quelle mesure le palais impérial pourrait-il être vu comme un espace fantastique ?

12 Relevez deux antithèses dans le portrait de l'Empereur. Ce portrait confirme-t-il, selon vous, l'hypothèse d'une rencontre fantastique ?

✔ *Rappelez-vous !*

Le **genre fantastique** est un genre littéraire dans lequel apparaissent des éléments inquiétants dans un cadre réaliste. Des **faits étranges**, qu'on ne parvient pas à expliquer, peuvent se produire. Le lecteur est ainsi libre de choisir **une explication rationnelle ou une cause surnaturelle**.

De la lecture à l'expression orale et écrite

Des mots pour mieux s'exprimer

1 ***Classez les mots suivants et indiquez leur champ lexical.***

Agencement | Bosquet | Colonne

Enceinte | Fleur | Fontaine | Fronton | Palais

Pelouse | Rosier | Salle circulaire | Treille | Verger | Vestibule

Champ lexical
....

treille, ____________________

____

____

Champ lexical
....

palais, ____________________

____

____

2 ***Classez les mots suivants par famille.***

Empire | Impassible | Impassiblement

Impératrice | Impérial | Impuissant | Marbrer | Marmoréen

Passible | Passionnément | Passionner | Puissamment

Marbre: ____

Empereur: ____

Puissance: ____

Passion: ____

La parole est à vous

3 ***Présentez à l'Empereur le plan d'un palais.***

Consignes. Vous êtes un architecte. Décrivez au souverain votre projet de palais en vous appuyant sur le vocabulaire de l'architecture et des jardins. Relisez les pages 22-23 pour vous en inspirer. Aidez-vous d'un croquis avant de prendre la parole.

4 ***Préparez un court exposé sur un palais impérial qui suscite votre curiosité.***

Consignes. Faites une recherche en ligne sur le château ou le palais de votre choix. Choisissez un support numérique sur votre ENT pour insérer vos images. Ajoutez une carte et un plan du palais. Minutez votre présentation pour ne pas dépasser cinq minutes.

À vous d'écrire

5 ***Imaginez que l'Empereur découvre le plaisir des odeurs et des parfums. Il convoque son jardinier et son ministre des Plaisirs Parfaits pour leur annoncer la nouvelle. Racontez leur promenade dans les jardins du palais.***

Consignes. Votre texte, d'une trentaine de lignes, comprendra un dialogue et une description. Vous utiliserez le vocabulaire des parfums. Vous pouvez reprendre des éléments du palais impérial que décrit Marguerite Yourcenar.

6 ***Imaginez que Wang-Fô et Ling s'évadent du palais impérial.***

Consignes. Votre récit, d'une trentaine de lignes, fera alterner dialogue et description. Vous exprimerez les émotions des personnages.

Du texte à l'image

• Claude Lorrain, *Le Gué*, 1644, musée du Prado, Madrid (Espagne).

➡ **Image reproduite en début d'ouvrage, au verso de la couverture.**

Lire l'image

1 Décrivez le personnage au premier plan du tableau.

2 Selon vous, quelles émotions ressent ce personnage ?

Comparer le texte et l'image

3 Comparez ce paysage et le jardin impérial décrit dans la nouvelle (p. 23, l. 154-164). Étudiez en particulier l'atmosphère qui se dégage de ces deux paysages.

À vous de créer

4 Imaginez que vous êtes le personnage représenté sur le tableau et que vous écrivez une lettre à une personne que vous aimez. Dans un texte d'une quarantaine de lignes, vous lui donnerez des nouvelles et vous lui décrirez le paysage autour de vous. Vous pouvez vous appuyer sur les réponses aux questions précédentes.

[Suite de la page 24]

– Tu me demandes ce que tu m'as fait, vieux Wang-Fô ? reprit l'Empereur en penchant son cou grêle[1] vers le vieil homme qui l'écoutait. Je vais te le dire. Mais, comme le venin d'autrui[2] ne peut se glisser en nous que par nos neuf ouvertures, pour te
195 mettre en présence de tes torts, je dois te promener le long des corridors[3] de ma mémoire, et te raconter toute ma vie. Mon père avait rassemblé une collection de tes peintures dans la chambre la plus secrète du palais, car il était d'avis que les personnages des tableaux doivent être soustraits[4] à la vue des profanes[5], en
200 présence de qui ils ne peuvent baisser les yeux. C'est dans ces salles que j'ai été élevé, vieux Wang-Fô, car on avait organisé autour de moi la solitude pour me permettre d'y grandir. Pour éviter à ma candeur[6] l'éclaboussure des âmes humaines, on avait éloigné de moi le flot agité de mes sujets futurs, et il n'était
205 permis à personne de passer devant mon seuil[7], de peur que l'ombre de cet homme ou de cette femme ne s'étendît jusqu'à moi. Les quelques vieux serviteurs qu'on m'avait octroyés[8] se montraient le moins possible ; les heures tournaient en cercle ; les couleurs de tes peintures s'avivaient avec l'aube et pâlissaient

1. **Grêle** : long et fin.
2. **Autrui** : des autres hommes.
3. **Corridors** : couloirs.
4. **Soustraits** : ôtés, enlevés.
5. **Profanes** : ignorants.
6. **Candeur** : innocence.
7. **Mon seuil** : le pas de ma porte.
8. **Octroyés** : donnés.

avec le crépuscule. La nuit, quand je ne parvenais pas à dormir, je les regardais, et, pendant près de dix ans, je les ai regardées toutes les nuits. Le jour, assis sur un tapis dont je savais par cœur le dessin, reposant mes paumes vides sur mes genoux de soie jaune, je rêvais aux joies que me procurerait l'avenir. Je me représentais le monde, le pays de Han au milieu, pareil à la plaine monotone et creuse de la main que sillonnent les lignes fatales des Cinq Fleuves[1]. Tout autour, la mer où naissent les monstres, et, plus loin encore, les montagnes qui supportent le ciel. Et, pour m'aider à me représenter toutes ces choses, je me servais de tes peintures. Tu m'as fait croire que la mer ressemblait à la vaste nappe d'eau étalée sur tes toiles, si bleue qu'une pierre en y tombant ne peut que se changer en saphir[2], que les femmes s'ouvraient et se refermaient comme des fleurs, pareilles aux créatures qui s'avancent, poussées par le vent, dans les allées de tes jardins, et que les jeunes guerriers à la taille mince qui veillent dans les forteresses des frontières étaient eux-mêmes des flèches qui pouvaient vous transpercer le cœur. À seize ans, j'ai vu se rouvrir les portes qui me séparaient du monde : je suis monté sur la terrasse du palais pour regarder les nuages, mais ils étaient moins beaux que ceux de tes crépuscules. J'ai commandé ma litière[3] : secoué sur des routes dont je ne prévoyais ni la boue ni les pierres, j'ai parcouru les provinces de l'Empire sans trouver tes jardins pleins de femmes semblables à des lucioles[4], tes femmes dont le corps est lui-même un jardin. Les cailloux des rivages m'ont dégoûté des océans ; le sang des suppliciés[5] est moins rouge que la grenade[6] figurée sur tes toiles ; la vermine[7]

1. **Cinq Fleuves** : le cinq, dans la culture impériale, est associé à l'Empereur. Les Cinq Fleuves peuvent être lus comme les cinq fleuves qui mènent à l'Empereur.
2. **Saphir** : pierre précieuse, de multiples couleurs.
3. **Litière** : lit porté par des serviteurs.
4. **Lucioles** : insectes lumineux.
5. **Suppliciés** : condamnés.
6. **Grenade** : fruit dont la chair est rouge sang.
7. **Vermine** : insectes et parasites qui vivent sur l'homme ou l'animal.

des villages m'empêche de voir la beauté des rizières ; la chair des femmes vivantes me répugne comme la viande morte qui pend aux crocs[1] des bouchers, et le rire épais de mes soldats me
240 soulève le cœur. Tu m'as menti, Wang-Fô, vieil imposteur[2] : le monde n'est qu'un amas de taches confuses, jetées sur le vide par un peintre insensé, sans cesse effacées par nos larmes. Le royaume de Han n'est pas le plus beau des royaumes, et je ne suis pas l'Empereur. Le seul empire sur lequel il vaille la peine de
245 régner est celui où tu pénètres, vieux Wang, par le chemin des Mille Courbes et des Dix Mille Couleurs. Toi seul règnes en paix sur des montagnes couvertes d'une neige qui ne peut fondre, et sur des champs de narcisses qui ne peuvent pas mourir. Et c'est pourquoi, Wang-Fô, j'ai cherché quel supplice te serait réservé,
250 à toi dont les sortilèges m'ont dégoûté de ce que je possède, et donné le désir de ce que je ne posséderai pas. Et pour t'enfermer dans le seul cachot dont tu ne puisses sortir, j'ai décidé qu'on te brûlerait les yeux, puisque tes yeux, Wang-Fô, sont les deux portes magiques qui t'ouvrent ton royaume. Et puisque tes mains
255 sont les deux routes aux dix embranchements[3] qui te mènent au cœur de ton empire, j'ai décidé qu'on te couperait les mains. M'as-tu compris, vieux Wang-Fô ?

En entendant cette sentence[4], le disciple Ling arracha de sa ceinture un couteau ébréché[5] et se précipita sur l'Empereur. Deux
260 gardes le saisirent. Le Fils du Ciel sourit et ajouta dans un soupir :

– Et je te hais aussi, vieux Wang-Fô, parce que tu as su te faire aimer. Tuez ce chien.

Ling fit un bond en avant pour éviter que son sang ne vînt tacher la robe du maître. Un des soldats leva son sabre, et la tête
265 de Ling se détacha de sa nuque, pareille à une fleur coupée. Les

1. **Crocs** : crochets.
2. **Imposteur** : personne qui se fait passer pour une autre.
3. **Embranchements** : croisements.
4. **Sentence** : verdict, décision.
5. **Ébréché** : dont la lame est abîmée.

serviteurs emportèrent ses restes, et Wang-Fô, désespéré, admira la belle tache écarlate[1] que le sang de son disciple faisait sur le pavement de pierre verte.

L'Empereur fit un signe, et deux eunuques essuyèrent les yeux de Wang-Fô.

– Écoute, vieux Wang-Fô, dit l'Empereur, et sèche tes larmes, car ce n'est pas le moment de pleurer. Tes yeux doivent rester clairs, afin que le peu de lumière qui leur reste ne soit pas brouillée par tes pleurs. Car ce n'est pas seulement par rancune[2] que je souhaite ta mort; ce n'est pas seulement par cruauté que je veux te voir souffrir. J'ai d'autres projets, vieux Wang-Fô. Je possède dans ma collection de tes œuvres une peinture admirable où les montagnes, l'estuaire[3] des fleuves et la mer se reflètent, infiniment rapetissés sans doute, mais avec une évidence qui surpasse celle des objets eux-mêmes, comme les figures qui se mirent[4] sur les parois d'une sphère. Mais cette peinture est inachevée, Wang-Fô, et ton chef-d'œuvre est à l'état d'ébauche[5]. Sans doute, au moment où tu peignais, assis dans une vallée solitaire, tu remarquas un oiseau qui passait, ou un enfant qui poursuivait cet oiseau. Et le bec de l'oiseau ou les joues de l'enfant t'ont fait oublier les paupières bleues des flots. Tu n'as pas terminé les franges du manteau de la mer, ni les cheveux d'algues des rochers. Wang-Fô, je veux que tu consacres les heures de lumière qui te restent à finir cette peinture, qui contiendra ainsi les derniers secrets accumulés au cours de ta longue vie. Nul doute que tes mains, si près de tomber, ne trembleront sur l'étoffe de soie, et l'infini pénétrera dans ton œuvre par ces hachures du malheur. Et nul doute que tes yeux, si près d'être anéantis, ne découvriront des rapports à la limite des sens humains. Tel est

1. **Écarlate**: rouge éclatant.
2. **Rancune**: souvenir d'une parole ou d'une action blessante.
3. **Estuaire**: endroit où un fleuve se jette dans la mer.
4. **Se mirent**: se regardent.
5. **Ébauche**: première forme, imparfaite, que l'artiste donne à une œuvre.

295 mon projet, vieux Wang-Fô, et je puis te forcer à l'accomplir. Si tu refuses, avant de t'aveugler, je ferai brûler toutes tes œuvres, et tu seras alors pareil à un père dont on a massacré les fils et détruit les espérances de postérité[1]. Mais crois plutôt, si tu veux, que ce dernier commandement n'est qu'un effet de ma bonté, 300 car je sais que la toile est la seule maîtresse que tu aies jamais caressée. Et t'offrir des pinceaux, des couleurs et de l'encre pour occuper tes dernières heures, c'est faire l'aumône[2] d'une fille de joie[3] à un homme qu'on va mettre à mort.

Sur un signe du petit doigt de l'Empereur, deux eunuques 305 apportèrent respectueusement la peinture inachevée où Wang-Fô avait tracé l'image de la mer et du ciel. Wang-Fô sécha ses larmes et sourit, car cette petite esquisse lui rappelait sa jeunesse. Tout y attestait une fraîcheur d'âme à laquelle Wang-Fô ne pouvait plus prétendre, mais il y manquait cependant quelque chose, 310 car à l'époque où Wang l'avait peinte, il n'avait pas encore assez contemplé de montagnes, ni de rochers baignant dans la mer leurs flancs nus, et ne s'était pas assez pénétré de la tristesse du crépuscule. Wang-Fô choisit un des pinceaux que lui présentait un esclave et se mit à étendre sur la mer inachevée de larges coulées 315 bleues. Un eunuque accroupi à ses pieds broyait les couleurs ; il s'acquittait assez mal de cette besogne, et plus que jamais Wang-Fô regretta son disciple Ling.

Wang commença par teinter de rose le bout de l'aile d'un nuage posé sur une montagne. Puis il ajouta à la surface de la 320 mer de petites rides qui ne faisaient que rendre plus profond le sentiment de sa sérénité[4]. Le pavement de jade devenait singulièrement humide, mais Wang-Fô, absorbé dans sa peinture, ne s'apercevait pas qu'il travaillait assis dans l'eau.

---

1. **Espérances de postérité** : espoirs de rester dans la mémoire des générations futures.
2. **Aumône** : don fait aux pauvres.
3. **Fille de joie** : prostituée.
4. **Sérénité** : tranquillité.

Le frêle[1] canot grossi sous les coups de pinceau du peintre occupait maintenant tout le premier plan du rouleau de soie. Le bruit cadencé[2] des rames s'éleva soudain dans la distance, rapide et vif comme un battement d'aile. Le bruit se rapprocha, emplit doucement toute la salle, puis cessa, et des gouttes tremblaient, immobiles, suspendues aux avirons du batelier[3]. Depuis longtemps, le fer rouge destiné aux yeux de Wang s'était éteint sur le brasier[4] du bourreau. Dans l'eau jusqu'aux épaules, les courtisans, immobilisés par l'étiquette[5], se soulevaient sur la pointe des pieds. L'eau atteignit enfin au niveau du cœur impérial. Le silence était si profond qu'on eût entendu tomber des larmes.

C'était bien Ling. Il avait sa vieille robe de tous les jours, et sa manche droite portait encore les traces d'un accroc[6] qu'il n'avait pas eu le temps de réparer, le matin, avant l'arrivée des soldats. Mais il avait autour du cou une étrange écharpe rouge.

Wang-Fô lui dit doucement en continuant à peindre :

– Je te croyais mort.

– Vous vivant, dit respectueusement Ling, comment aurais-je pu mourir ?

Et il aida le maître à monter en barque. Le plafond de jade se reflétait sur l'eau, de sorte que Ling paraissait naviguer à l'intérieur d'une grotte. Les tresses des courtisans submergés[7] ondulaient à la surface comme des serpents, et la tête pâle de l'Empereur flottait comme un lotus[8].

– Regarde, mon disciple, dit mélancoliquement Wang-Fô. Ces malheureux vont périr[9], si ce n'est déjà fait. Je ne me doutais pas

---

1. **Frêle** : fragile.
2. **Cadencé** : rythmé.
3. **Batelier** : personne qui conduit un bateau.
4. **Brasier** : feu.
5. **Étiquette** : règles en usage à la cour d'un souverain.
6. **Accroc** : petite déchirure.
7. **Submergés** : sous l'eau.
8. **Lotus** : nénuphar blanc. En Asie, il est généralement rosé.
9. **Périr** : mourir.

350 qu'il y avait assez d'eau dans la mer pour noyer un Empereur. Que faire ?

– Ne crains rien, Maître, murmura le disciple. Bientôt, ils se trouveront à sec et ne se souviendront même pas que leur manche ait jamais été mouillée. Seul, l'Empereur gardera au cœur un peu

355 d'amertume[1] marine. Ces gens ne sont pas faits pour se perdre à l'intérieur d'une peinture.

Et il ajouta :

– La mer est belle, le vent bon, les oiseaux marins font leur nid. Partons, mon Maître, pour le pays au-delà des flots.

360 – Partons, dit le vieux peintre.

Wang-Fô se saisit du gouvernail[2], et Ling se pencha sur les rames. La cadence des avirons emplit de nouveau toute la salle, ferme et régulière comme le bruit d'un cœur. Le niveau de l'eau diminuait insensiblement autour des grands rochers verticaux qui

365 redevenaient des colonnes. Bientôt, quelques rares flaques brillèrent seules dans les dépressions[3] du pavement de jade. Les robes des courtisans étaient sèches, mais l'Empereur gardait quelques flocons d'écume[4] dans la frange de son manteau.

Le rouleau achevé par Wang-Fô restait posé sur la table basse.

370 Une barque en occupait tout le premier plan. Elle s'éloignait peu à peu, laissant derrière elle un mince sillage[5] qui se refermait sur la mer immobile. Déjà, on ne distinguait plus le visage des deux hommes assis dans le canot. Mais on apercevait encore l'écharpe rouge de Ling, et la barbe de Wang-Fô flottait au vent.

375 La pulsation[6] des rames s'affaiblit, puis cessa, oblitérée[7] par la distance. L'Empereur, penché en avant, la main sur les yeux,

---

1. **Amertume** : tristesse.
2. **Gouvernail** : barre qui permet de guider un bateau.
3. **Dépressions** : creux.
4. **Écume** : mousse blanche à la surface de l'eau.
5. **Sillage** : trace.
6. **Pulsation** : rythme.
7. **Oblitérée** : effacée.

regardait s'éloigner la barque de Wang qui n'était déjà plus qu'une tache imperceptible dans la pâleur du crépuscule. Une buée d'or s'éleva et se déploya sur la mer. Enfin, la barque vira autour d'un rocher qui fermait l'entrée du large ; l'ombre d'une falaise tomba sur elle ; le sillage s'effaça de la surface déserte, et le peintre Wang-Fô et son disciple Ling disparurent à jamais sur cette mer de jade bleu que Wang-Fô venait d'inventer.

Arrêt sur lecture 3

Un quiz pour commencer

Cochez les bonnes réponses.

1 *De quel crime est accusé Wang-Fô ?*

- ❒ Wang-Fô aurait tué un aubergiste.
- ❒ Wang-Fô serait un mauvais peintre.
- ❒ La peinture de Wang-Fô serait plus belle que le monde réel.

2 *En quoi l'éducation que l'Empereur a reçue est-elle particulière ?*

- ❒ Il a été élevé dans la solitude, séparé des hommes et du monde.
- ❒ Son éducation a privilégié l'éducation physique et les voyages.
- ❒ Son professeur ne parlait que latin.

3 *Quel châtiment l'Empereur annonce-t-il pour punir le peintre ?*

- ❒ Il aura la tête tranchée.
- ❒ Il aura les yeux brûlés et les mains coupées.
- ❒ Il sera enfermé à vie dans un cachot.

4 ***À l'annonce de la sentence, comment réagit le disciple Ling ?***

❒ Il fait appel de la décision auprès du Conseiller des Justes Tourments.

❒ Il propose de s'offrir en victime en lieu et place de son maître.

❒ Il se jette sur l'Empereur armé d'un couteau ébréché.

5 ***Que doit achever Wang-Fô avant d'être supplicié ?***

❒ Une œuvre représentant des fleuves, des montagnes et la mer.

❒ Un portrait de l'Empereur.

❒ Un paysage de nature sous l'orage.

6 ***Quelle menace profère l'Empereur pour s'assurer que le peintre achèvera sa peinture ?***

❒ Il fera brûler l'ensemble de son œuvre.

❒ Il exécutera Ling.

❒ Il bannira Wang-Fô du royaume de Han.

7 ***Qui apporte le tableau inachevé ?***

❒ Le Fils du Ciel.

❒ Le Ministre des Plaisirs Parfaits.

❒ Deux eunuques.

8 ***Quel personnage réapparaît de manière inexpliquée ?***

❒ Ling.

❒ L'épouse de Ling.

❒ Le Dragon Céleste.

9 ***Comment s'achève la nouvelle de Marguerite Yourcenar ?***

❒ Les héros s'enfoncent dans l'eau.

❒ L'Empereur accorde sa grâce à Wang-Fô.

❒ La barque disparaît lentement derrière un rocher, à l'ombre d'une falaise.

Des questions pour aller plus loin

→ *Comprendre la chute de la nouvelle : une réflexion sur l'art*

L'achèvement du tableau

1 À quoi voit-on que Wang-Fô est concentré sur sa peinture ? Comment expliquez-vous qu'il garde son calme ?

2 **Langue** **a.** Reliez les verbes ci-dessous au temps qui convient.

Ajouta •
Commença •
Devenait •
Faisaient •
Occupait •
S'apercevait •
S'éleva •

• Imparfait de l'indicatif

• Passé simple de l'indicatif

b. **Langue** Précisez la valeur du verbe « occupait » (p. 39, l. 325).

3 Quelles émotions ressent Wang-Fô en achevant sa peinture ? Justifiez votre réponse.

4 Quelle est la figure de style employée dans la phrase : « Le bruit cadencé des rames [...] comme un battement d'aile » (p. 39, l. 326-327) ?

5 **Langue** Donnez la nature et la fonction de l'élément souligné dans la phrase : « Le silence était si profond qu'on eût entendu tomber des larmes » (p. 39, l. 333-334).

6 Quels éléments du récit contribuent à apporter du suspense ?

Zoom sur l'apparition et la disparition (p. 39-41, l. 324-383)

7 Quel événement se produit entre les lignes 324-325, page 39. Selon vous, pourquoi est-il passé sous silence ?

8 **a.** Quels éléments dans le portrait de Ling font penser à une apparition surnaturelle ? Appuyez-vous sur la description des vêtements et sur le dialogue (l. 335-360) pour justifier votre réponse.
b. Comment peut-on comprendre l'apparition du canot et le bruit des rames ?

9 **a.** Qu'est-il arrivé aux courtisans, au bourreau et à l'Empereur ?
b. Quelle explication Ling donne-t-il pour rassurer son maître ?

Un tableau fantastique et poétique

10 **a.** Classez les éléments suivants dans le tableau ci-dessous.

① Wang-Fô travaille dans l'eau.

② Ling réapparaît.

③ Ling porte une écharpe rouge.

④ Le bruit des rames.

⑤ Le brasier du bourreau s'est éteint.

⑥ L'Empereur gardera une amertume.

⑦ Les courtisans noyés.

⑧ Wang-Fô termine son tableau.

⑨ La tête de l'Empereur flotte comme un lotus.

⑩ L'Empereur regarde la barque s'éloigner.

Événement réaliste	Événement surnaturel

b. Que pouvez-vous en déduire concernant la chute de la nouvelle ?

11 Quels éléments donnent à cette fin une dimension poétique ? Vous pouvez vous appuyer sur les comparaisons et sur la dimension visuelle de la scène.

✔ *Rappelez-vous !*

La **chute de la nouvelle** est le **dernier événement de l'intrigue** qui provoque la surprise du lecteur. Guy de Maupassant, Dino Buzatti, Edgar Allan Poe, Jorge Luis Borges sont des auteurs qui ont particulièrement soigné les chutes de leurs nouvelles.

De la lecture à l'expression orale et écrite

Des mots pour mieux s'exprimer

1 ***Avec chacun des mots proposés, rédigez une phrase.***

Apparition : ____

Disparaître : ____

Révélation : ____

S'amenuiser : ____

Surgir : ____

2 ***Reliez les mots suivants à leur radical et à leur origine latine.***

Radical	Mots	Origine latine
	• Achèvement •	
	• Définir •	
Achev- •	• Inachevé •	• *Terminus*
Fin- •	• Infini •	• *Caput*
Termin- •	• Interminable •	• *Finis*
	• Final(e) •	
	• Parachever •	
	• Terminaison •	

La parole est à vous

3 *Décrivez un paysage poétique et pittoresque.*

Consignes. Vous êtes le guide d'un voyage organisé. Vous attirez l'attention du groupe de touristes que vous accompagnez sur les lieux remarquables que vous visitez. Vous emploierez le vocabulaire des sens pour exprimer ce que suscite la découverte des lieux, différents adjectifs de couleur et des éléments décrivant les effets de la lumière. Vous pouvez faire une description poétique en vous aidant des réponses aux questions précédentes.

4 *Présentez des fins de romans ou de films qui vous plaisent ou au contraire qui ne vous touchent pas.*

Consignes. Vous ferez cette présentation orale avec un camarade. Cela peut être un *happy end*, une fin tragique, une chute mystérieuse... Justifiez votre point de vue en vous appuyant sur des romans, films ou BD de votre choix.

5 *Lisez votre page préférée de la nouvelle.*

Consignes. Sur l'ENT, enregistrez-vous en soignant les critères d'une lecture expressive : ton, fluidité, volume, articulation, respect de la ponctuation.

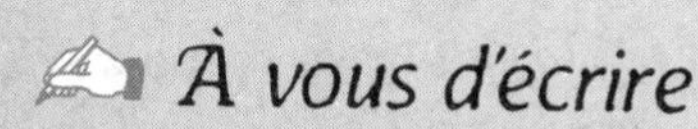

À vous d'écrire

6 ***L'Empereur a vieilli. Imaginez le récit qu'il fait de son aventure avec le peintre à l'un de ses conseillers. Il exprime ses doutes et ses regrets.***

Consignes. Votre texte, d'une trentaine de lignes, comprendra un dialogue et des descriptions. Vous utiliserez le vocabulaire des émotions. Vous devrez reprendre des éléments de la nouvelle de Marguerite Yourcenar.

7 ***Êtes-vous plutôt comme Ling, d'un tempérament généreux, qui aime servir les autres, ou bien vous sentez-vous plus proche de Wang-Fô, solitaire qui contemple la nature ?***

Consignes. Votre argumentation, d'une quarantaine de lignes, s'appuiera sur votre expérience et sur votre lecture de la nouvelle de Marguerite Yourcenar.

Du texte à l'image

- Claude Monet, *Effet d'automne à Argenteuil*, 1873, Courtauld Institute, Londres (Royaume-Uni).
- David Hockney, *Woldgate Woods*, 24, 25, 26 octobre, 2006, huile sur six toiles.

➡ **Images reproduites en fin d'ouvrage, au verso de la couverture.**

Lire l'image

1 Pourquoi Claude Monet a-t-il choisi le titre *Effet d'automne à Argenteuil* ? Justifiez votre réponse en donnant au moins deux arguments.

2 Comment Claude Monet a-t-il représenté les reflets de la lumière ? Pourquoi l'usage du blanc est-il important dans sa palette ?

3 Quelle(s) saison(s) David Hockney a-t-il représentée(s) ? Trouvez-vous qu'il s'agit d'une représentation réaliste ? Justifiez votre réponse.

Comparer le texte et l'image

4 Comparez le tableau de Claude Monet et la fin de la nouvelle de Marguerite Yourcenar. Quelle ressemblance remarquez-vous ? Quelles différences pouvez-vous relever ? Justifiez votre réponse en citant le texte.

5 Quelle représentation préférez-vous ? Rédigez une réponse argumentée.

À vous de créer

6 Représentez un paysage d'automne en vous inspirant des œuvres de Claude Monet et de David Hockney représentées au verso de couverture. Vous pouvez utiliser des crayons de couleur, de la peinture, du collage, de la photographie.

7 On vous demande de compléter le tableau de Claude Monet, comme Wang-Fô l'a fait pour son propre tableau dans la nouvelle. Que décidez-vous de peindre pour modifier le tableau ? Vous pouvez ajouter ou supprimer des éléments (animaux, personnage, décor...). Justifiez vos choix.

Arrêt sur l'œuvre

Des questions sur l'ensemble de l'œuvre

Un cadre réaliste

1 Dans quelles circonstances Wang-Fô et Ling se rencontrent-ils ?

2 Écrivez un portrait de Wang-Fô, en détaillant son caractère et sa façon de vivre.

3 Comment Ling se comporte-t-il envers son maître ? Appuyez-vous sur des exemples précis pour illustrer votre réponse. Approuvez-vous son comportement ?

4 Montrez que Wang-Fô est un peintre reconnu par un large public.

Un châtiment injuste et cruel

5 Quel événement provoque le malheur du peintre ?

6 À l'aide d'un schéma ou d'un dessin, représentez les éléments principaux de la salle du trône (p. 23, l. 153-164).

7 Quel est le raisonnement de l'Empereur pour justifier le châtiment de Wang-Fô ?

8 Sur une carte mentale numérique (MindMeister®, EdrawMind®), notez tous les éléments de la nouvelle qui indiquent que l'Empereur agit en tyran. Vous pouvez également vous appuyer sur la lecture du Groupement de textes 2 (p. 66-74).

Une nouvelle poétique et fantastique

9 En parcourant l'ensemble de la nouvelle, établissez la liste des tableaux réalisés par Wang-Fô au cours de sa vie (portrait d'un ivrogne, tableau d'une femme jouant du luth...).

10 En vous appuyant sur la question précédente, réalisez un diaporama sur l'ENT à l'aide d'œuvres d'artistes de Chine. Vous pouvez utiliser pour votre recherche le site de la BnF présentant l'exposition « L'Empire du trait » :
http://expositions.bnf.fr/chine

11 Faites la liste des éléments fantastiques de la nouvelle. Puis reprenez les éléments présentant un caractère poétique vus dans les réponses aux questions des « Arrêts sur lecture ». Que pouvez-vous en conclure ?

Des mots pour mieux s'exprimer

Lexique de la couleur

Bariolé : composé de couleurs vives et variées.
Cinabre : rouge.
Écarlate : rouge vif.
Grenade : rouge sang.
Jade : teinte entre le vert et le blanc.
Laque : vernis d'un rouge brun.
Pourpre : rouge vif.

Créez votre palette

a. Entourez les adjectifs de couleur invariables. Si besoin, vous pouvez vous aider de votre grammaire ou d'un dictionnaire.

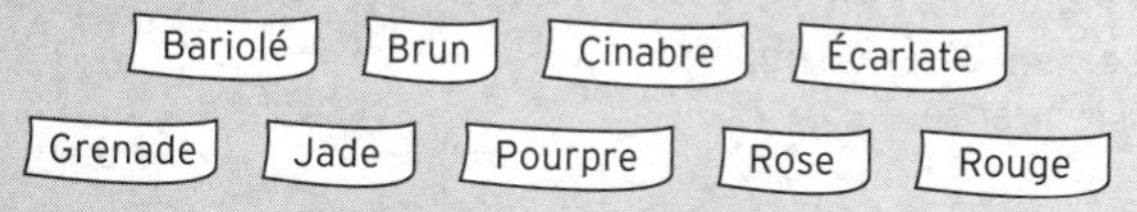

b. Avec vos crayons de couleur, appliquez les couleurs de la liste ci-dessus sur la palette de Wang-Fô. Qu'en déduisez-vous sur la couleur dominante dans la nouvelle ?

Lexique des sensations

Contempler : regarder quelque chose ou quelqu'un longuement, l'admirer.
Effleurer : toucher légèrement.
Effluve (nom masculin) : odeur qui se dégage d'un végétal, d'un corps.
Exhaler : répandre une odeur.
Humer : sentir longuement quelque chose par le nez.
Mélodieux : son agréable à l'oreille.
Perception : faculté de sentir, par les cinq sens.
Ravissement : état de bonheur, de plaisir intense.
S'émerveiller : ressentir de l'admiration face à quelque chose.
Se délecter : apprécier quelque chose avec beaucoup de plaisir.
Sens : fonction qui permet d'apporter au cerveau des informations sur le monde extérieur. Il existe cinq sens : l'ouïe, le goût, l'odorat, le toucher et la vue.
Suave : qui est doux et agréable.

1 ***Classez chaque mot de la liste ci-dessus selon le sens qui lui correspond.***

Vue : ____

Odorat : ____

Ouïe : ____

Goût : ____

Toucher : ____

2 ***Mots cachés***

Retrouvez dans la grille ci-contre les seize mots du lexique des sensations. Les mots peuvent être écrits horizontalement ou verticalement.

Y	P	R	A	V	I	S	S	E	M	E	N	T	N
L	E	M	E	P	D	N	O	U	I	E	L	W	T
A	R	D	Q	S	G	U	J	A	L	R	N	D	M
F	C	E	M	E	R	V	E	I	L	L	E	R	E
D	E	C	O	N	T	E	M	P	L	E	R	C	L
K	P	U	G	E	I	E	S	E	G	T	C	E	O
D	T	P	S	F	G	G	U	F	K	W	V	X	D
E	I	F	E	F	G	K	A	F	J	D	U	H	I
L	O	O	N	L	O	Z	V	L	Z	R	E	A	E
E	N	D	S	U	U	H	E	E	Y	H	G	L	U
C	B	O	R	V	T	U	H	U	Y	S	I	E	X
T	V	R	A	E	T	M	Z	R	W	I	V	R	O
E	B	A	Y	N	I	E	N	E	B	W	B	W	A
R	L	T	O	X	N	R	R	R	O	M	R	W	N

À vous de créer

Activité interdisciplinaire

Écrire une nouvelle poétique dont le personnage principal est un peintre

- **Disciplines croisées** : Français, Arts plastiques, Technologie

Étape 1. Choix du sujet
– Par groupes de deux élèves, sélectionnez le genre de votre nouvelle : réaliste ou fantastique.
– Situez votre intrigue dans un pays que vous aimez ou qui vous fait rêver.
– Choisissez un peintre que vous avez étudié en arts plastiques. Faites une recherche préliminaire pour compléter vos idées.
– Décidez des personnages principaux, de leurs caractères et de leurs relations.
– Déterminez le titre de votre nouvelle.

Étape 2. Préparation de la nouvelle
Au brouillon :
– Imaginez une ou deux péripéties et la chute de votre récit.
– Décrivez l'un des tableaux que réalise votre personnage.
– Réfléchissez à vos figures de style, en particulier les comparaisons. Choisissez le vocabulaire des couleurs que vous emploierez.

Étape 3. Rédaction, correction et présentation
– Saisissez votre texte, qui comportera une quarantaine de lignes, sur un logiciel de traitement de texte.
– Pensez à faire des paragraphes.
– Relisez-vous pour supprimer les longueurs et modifier les passages les moins satisfaisants de votre nouvelle.
– Utilisez une image pour illustrer votre première de couverture.

Groupements de textes

Groupement 1

La figure du peintre dans le récit

Pline, *Histoire naturelle*

Pline l'Ancien (23-79 après J.-C.) relate dans son *Histoire naturelle* des légendes autour d'Apelle, l'un des plus grands peintres de l'Antiquité gréco-romaine. Aucun de ses tableaux n'est aujourd'hui conservé.

Apelle avait une habitude à laquelle il ne manquait jamais : c'était, quelque occupé qu'il fût, de ne pas laisser passer un seul jour sans s'exercer en traçant quelque trait ; cette habitude a donné lieu à un proverbe. Quand il avait fini un tableau, il
5 l'exposait sur un tréteau[1] à la vue des passants, et, se tenant caché derrière, il écoutait les critiques qu'on en faisait, préférant le jugement du public, comme plus exact que le sien. On rapporte qu'il fut repris par un cordonnier, pour avoir mis à

1. **Tréteau** : support en bois.

la chaussure une anse de moins en dedans[1]. Le lendemain, le
10 même cordonnier, tout fier de voir le succès de sa remarque de la veille et le défaut corrigé, se mit à critiquer la jambe: Apelle, indigné, se montra, s'écriant qu'un cordonnier n'avait rien à voir au-dessus de la chaussure; ce qui a également passé en proverbe. Apelle avait de l'aménité[2] dans les manières, ce qui
15 le rendit particulièrement agréable à Alexandre le Grand[3]: ce prince venait souvent dans l'atelier, et, comme nous avons dit, il avait défendu, par un décret, à tout autre artiste de le peindre. Un jour, dans l'atelier, Alexandre parlant beaucoup peinture sans s'y connaître, l'artiste l'engagea doucement au
20 silence, disant qu'il prêtait à rire aux garçons qui broyaient les couleurs; tant ses talents l'autorisaient auprès d'un prince d'ailleurs irascible[4]. Au reste, Alexandre donna une marque très mémorable de la considération qu'il avait pour ce peintre: il l'avait chargé de peindre nue, par admiration de la beauté,
25 la plus chérie de ses concubines, nommée Pancaste; [...] Il en est qui pensent qu'elle lui servit de modèle pour la Vénus Anadyomène[5].

Pline, *Histoire naturelle*, livre XXXV, traduction de M. E. Littré, Paris, Dubochet, Le Chevalier et comp. éditeurs, 1850.

1. Le cordonnier lui reproche de ne pas avoir mis une hauteur suffisante dans la chaussure.
2. **Aménité**: amabilité, charme.
3. **Alexandre le Grand** (IVe siècle av. J.-C.): conquérant, fondateur d'un grand empire, allant de la Grèce à l'Inde.
4. **Irascible**: colérique.
5. **Vénus Anadyomène**: Vénus née de l'écume, qui sort de l'eau.

Honoré de Balzac, *Le Chef-d'œuvre inconnu*

Dans cette célèbre nouvelle d'Honoré de Balzac (1799-1850), Nicolas Poussin, jeune débutant dans l'art de peindre, se rend dans l'atelier d'un peintre nommé Porbus.

Accablé de misère et surpris en ce moment de son outrecuidance[1], le pauvre néophyte[2] ne serait pas entré chez le peintre auquel nous devons l'admirable portrait de Henri IV, sans un secours extraordinaire que lui envoya le hasard. Un vieillard vint à monter l'escalier. À la bizarrerie de son costume, à la magnificence[3] de son rabat[4] de dentelle, à la prépondérante[5] sécurité de la démarche, le jeune homme devina dans ce personnage ou le protecteur ou l'ami du peintre. Il se recula sur le palier pour lui faire place, et l'examina curieusement, espérant trouver en lui la bonne nature d'un artiste ou le caractère serviable[6] des gens qui aiment les arts ; mais il aperçut quelque chose de diabolique dans cette figure, et surtout ce *je ne sais quoi* qui affriande[7] les artistes. Imaginez un front chauve, bombé, proéminent[8], retombant en saillie[9] sur un petit nez écrasé, retroussé du bout comme celui de Rabelais ou de Socrate ; une bouche rieuse et ridée, un menton court, fièrement relevé, garni d'une barbe grise taillée en pointe ; des yeux vert de mer ternis en apparence par l'âge, mais qui par le contraste du blanc nacré dans lequel flottait la prunelle devaient parfois jeter des regards magnétiques au fort de la colère ou de l'enthousiasme. Le visage était d'ailleurs singulièrement flétri[10] par les fatigues de l'âge, et plus encore par

1. **Outrecuidance** : orgueil.
2. **Néophyte** : débutant.
3. **Magnificence** : splendeur.
4. **Rabat** : grand col rabattu.
5. **Prépondérante** : forte.
6. **Serviable** : prêt à rendre service.
7. **Affriande** : attire.
8. **Proéminent** : qui dépasse.
9. **En saillie** : en surplomb, qui recouvre.
10. **Flétri** : fané.

ces pensées qui creusent également l'âme et le corps. Les yeux n'avaient plus de cils, et à peine voyait-on quelques traces de
25 sourcils au-dessus de leurs arcades saillantes[1]. Mettez cette tête sur un corps fluet[2] et débile[3], entourez-la d'une dentelle étincelante de blancheur, et travaillée comme une truelle[4] à poisson, jetez sur le pourpoint[5] noir du vieillard une lourde chaîne d'or, et vous aurez une image imparfaite de ce per-
30 sonnage auquel le jour faible de l'escalier prêtait encore une couleur fantastique. Vous eussiez dit une toile de Rembrandt[6] marchant silencieusement et sans cadre dans la noire atmosphère que s'est appropriée ce grand peintre. Le vieillard jeta sur le jeune homme un regard empreint de sagacité, frappa
35 trois coups à la porte, et dit à un homme valétudinaire[7], âgé de quarante ans environ, qui vint ouvrir: « Bonjour, maître. »

Honoré de Balzac, *Le Chef-d'œuvre inconnu et autres nouvelles* [1831], Gallimard, « Folio classique », 2015.

Émile Zola, *L'Œuvre*

Dans ce roman naturaliste d'Émile Zola (1840-1902), Claude Lantier est un artiste, inspiré du peintre Paul Cézanne (1839-1906), dont la peinture choque un public bourgeois. Le premier tableau qu'il expose est inspiré du *Déjeuner sur l'herbe* de Claude Manet (1863). Le public se moque de son caractère inachevé et du choix des couleurs peu réalistes.

1. **Saillantes**: qui dépassent.
2. **Fluet**: mince.
3. **Débile**: qui manque de force.
4. **Truelle**: sorte de petite pelle triangulaire.
5. **Pourpoint**: partie du vêtement qui recouvre le torse.
6. **Rembrandt** (1606-1669): peintre hollandais.
7. **Valétudinaire**: qui a la santé fragile.

Il se tourna vers Sandoz[1], il dit simplement :
– Ils ont raison de rire, c'est incomplet... N'importe, la femme est bien ! Bongrand ne s'est pas fichu de moi[2].

Son ami[3] s'efforçait de l'emmener, mais il s'entêtait, il se rapprocha au contraire. Maintenant qu'il avait jugé son œuvre, il écoutait et regardait la foule. L'explosion continuait, s'aggravait dans une gamme ascendante de fous rires. Dès la porte, il voyait se fendre les mâchoires des visiteurs, se rapetisser les yeux, s'élargir le visage ; et c'étaient des souffles tempétueux d'hommes gras, des grincements rouillés d'hommes maigres, dominés par les petites flûtes aiguës des femmes. En face, contre la cimaise[4], des jeunes gens se renversaient, comme si on leur avait chatouillé les côtes. Une dame venait de se laisser tomber sur une banquette, les genoux serrés, étouffant, tâchant de reprendre haleine dans son mouchoir. Le bruit de ce tableau si drôle devait se répandre, on se ruait des quatre coins du Salon[5], des bandes arrivaient, se poussaient, voulaient en être. « Où donc ? – Là-bas ! – Oh ! cette farce ! » Et les mots d'esprit pleuvaient plus drus[6] qu'ailleurs, c'était le sujet surtout qui fouettait la gaieté : on ne comprenait pas, on trouvait ça insensé, d'une cocasserie[7] à se rendre malade. « Voilà, la dame a trop chaud, tandis que le monsieur a mis sa veste de velours, de peur d'un rhume. – Mais non, elle est déjà bleue, le monsieur l'a retirée d'une mare, et il se repose à distance, en se bouchant le nez. – Pas poli, l'homme ! il pourrait nous montrer son autre figure. – Je vous dis que c'est un pensionnat de jeunes filles en promenade : regardez les deux qui

---

1. **Sandoz** : un ami du peintre, romancier.
2. Bongrand, un peintre, ami de Claude Lantier, l'a complimenté pour la peinture de la femme nue.
3. Il s'agit de Sandoz.
4. **Cimaise** : moulure qui permet de poser des tableaux afin de les exposer.
5. Le Salon est une manifestation artistique située au Louvre : on y expose chaque année les tableaux des plus grands artistes.
6. **Pleuvoir dru** : tomber en grande quantité.
7. **Cocasserie** : aspect comique.

jouent à saute-mouton. – Tiens! un savonnage: les chairs sont bleues, les arbres sont bleus, pour sûr qu'il l'a passé au bleu,
30 son tableau!» Ceux qui ne riaient pas entraient en fureur: ce bleuissement, cette notation nouvelle de la lumière semblaient une insulte. Est-ce qu'on laisserait outrager[1] l'art? De vieux messieurs brandissaient des cannes. Un personnage grave s'en allait, vexé, en déclarant à sa femme qu'il n'aimait pas
35 les mauvaises plaisanteries. Mais un autre, un petit homme méticuleux[2], ayant cherché dans le catalogue l'explication du tableau, pour l'instruction de sa demoiselle, et lisant à voix haute le titre: *Plein Air*, ce fut autour de lui une reprise formidable, des cris, des huées. Le mot courait, on le répétait,
40 on le commentait: plein air, oh! oui, plein air, le ventre à l'air, tout en l'air, tra la la laire! Cela tournait au scandale, la foule grossissait encore, les faces se congestionnaient[3] dans la chaleur croissante, chacune avec la bouche ronde et bête des ignorants qui jugent de la peinture, exprimant à elles toutes la
45 somme d'âneries, de réflexions saugrenues[4], de ricanements stupides et mauvais, que la vue d'une œuvre originale peut tirer à l'imbécillité bourgeoise.

Émile Zola, *L'Œuvre* [1886], Gallimard, «Folio classique», 2006.

Alberto Moravia, *L'Ennui*

Dans *L'Ennui*, le romancier italien Alberto Moravia (1907-1990) représente les doutes d'un jeune peintre, Dino, qui a du mal à croire à son talent d'artiste.

Parmi toutes ces pensées le sommeil me prit et je m'endormis lourdement, avec en quelque sorte la sensation de me noyer plutôt que de m'endormir. Je fis un rêve très clair: il me

1. **Outrager**: insulter.
2. **Méticuleux**: qui prend soin des détails.
3. **Se congestionnaient**: devenaient rouges.
4. **Saugrenues**: ridicules.

semblait être debout devant mon chevalet, ma palette dans une main, le pinceau dans l'autre. Sur le chevalet est posée l'habituelle toile blanche. À côté du chevalet (fait étrange puisque depuis plusieurs années je ne faisais plus de peinture figurative[1]) se tient debout un modèle. C'est une jeune femme au visage sage, des lunettes aux yeux, qui me rappelle beaucoup Rita. Sur la blancheur exsangue[2] de son corps curieusement plat et manquant de volume, se détachent, de façon mortuaire, les deux taches, jumelles de ses seins, pareilles à deux gros sous sombres et le triangle noir du pubis. Il est entendu que je suis en train de faire le portrait de ce modèle; et en effet, ma main, armée du pinceau, se meut[3] évidemment dans les gestes du peintre sur la surface invisible de la toile. Je continue à peindre avec soin, avec application, avec assurance; le tableau s'annonce bien, le modèle ne souffle pas, ne bouge pas, on pourrait la croire morte si ce n'est le scintillement[4] de derrière ses lunettes et le sourire peut-être ironique qui lui crispe les lèvres. Enfin, après une très longue séance, le portrait est fini et je m'écarte un peu pour le contempler à mon aise. Surprise: la toile est vide, blanche, intacte, aucun nu féminin n'y apparaît dessiné ou peint; j'ai certainement travaillé pour ne rien faire. Atterré, je saisis un tube quelconque de couleur, en écrase un jet sur ma palette, y plonge mon pinceau et avec ardeur m'acharne de nouveau sur la toile. Rien. La toile demeure blanche; pendant ce temps, devant mes vains[5] efforts, la fille sourit d'un sourire de plus en plus moqueur tout en gardant l'expression hypocrite et sage que lui confèrent ses lunettes cerclées d'écailles.

Alberto Moravia, *L'Ennui* [1960], trad. de l'italien par C. Poncet,

---

1. **Figurative**: qui représente des êtres ou des objets.
2. **Exsangue**: pâle.
3. **Se meut**: se déplace.
4. **Scintillement**: le fait de briller de mille éclats.
5. **Vains**: inutiles.

Maylis de Kerangal, *Un monde à portée de main*

Dans ce roman de l'autrice française Maylis de Kerangal (née en 1967), Paula Karst, jeune étudiante, fait la rencontre de la dame au col roulé noir, professeure de peinture. Celle-ci l'accueille dans une école qui enseigne l'art du trompe-l'œil, une technique de peinture qui consiste, par des artifices de perspective, à créer l'illusion d'objets réels.

Elle a beau se tenir à moins d'un mètre de Paula, sa voix semble venir de loin, de l'intérieur des murs, et engendrer[1] un écho quand elle énonce sans préambule[2] : mademoiselle Karst, devenir peintre en décor demande d'acquérir le sens de l'observation et la maîtrise du geste ; autrement dit l'œil – à cet instant Paula se souvient qu'elle n'a que trop tardé à ôter ses lunettes –, et la main – la femme ouvre une paume, signant sa parole. [...] Le trompe-l'œil est la rencontre d'une peinture et d'un regard, il est conçu pour un point de vue particulier et se définit par l'effet qu'il est censé produire. Les élèves de l'Institut disposent pour travailler de documents d'archives et d'échantillons naturels, mais l'essentiel de la formation s'appuie sur les démonstrations données en atelier. [...]

Le programme à présent – la voix a monté d'un cran, les yeux luisent, noir d'aniline[3], laqués. La session dure d'octobre à mars, six mois considérés comme une période creuse pour les peintres en bâtiment. Dès la rentrée, on peindra les bois. Les chênes, qui sont loin d'être les plus faciles, mais aussi l'orme par exemple, ou le frêne, l'ébène de Macassar, l'acajou du Congo, la gerbe de peuplier, le poirier, la ronce, ceux que je jugerai bon de savoir peindre. Mi-novembre, on attaque les marbres. Carrare, grand antique, labrador, henriette blonde, fleur de pêcher ou griotte d'Italie, et là encore je choisirai en

1. **Engendrer** : produire.
2. **Préambule** : introduction.
3. **Aniline** : composé issu de l'indigo, un colorant naturel extrait de plantes.

temps voulu – l'énumération de ces noms est bien autre chose qu'une table des matières, la femme prend à les prononcer un plaisir visible et sa voix ondule dans la pièce comme un chant chamanique[1] dont Paula ne capte rien sinon le rythme. Mi-janvier, ce sont les pierres semi-précieuses, les lapis et les citrines, les topazes et les jades, les améthystes, les quartz, en février le dessin, la perspective, puis les moulures et les frises, les plafonds de style et les patines[2], en mars, la dorure et l'argenture, le pochoir, le lettrage publicitaire, et enfin, le diplôme. Tout cela assez dense, assez consistant. […] Pensez à vous procurer une blouse. Puis, alors qu'elle retourne à son bureau, elle se ravise et fait volte-face : dernière chose, au début, la térébenthine[3] peut faire tourner la tête et donner des nausées, d'autant plus qu'on travaille debout ici, vous verrez, tout cela est assez physique.

Maylis de Kerangal, *Un monde à portée de main* [2018], Gallimard, « Folio », 2020. © Éditions Gallimard, 2018.

Groupements de textes

1. **Chamanique** : du nom chaman, qui communique avec les esprits.
2. **Patines** : vernis qui vieillissent artificiellement les peintures.
3. La térébenthine est employée en peinture pour diluer les couleurs.

Groupement 2

Images du tyran

François Rabelais, *Gargantua*

Dans ce trente-troisième chapitre de *Gargantua* (1534), de François Rabelais (vers 1483-1553), les conseillers de Picrochole, petit tyran de la région de Chinon, lui font miroiter des conquêtes fabuleuses après qu'il a vaincu son adversaire, Grandgosier, dans une bataille de villages.

Les fouaces[1] détroussées[2], comparurent devant Picrochole le duc de Menuail, le comte Spadassin, le capitaine Merdaille, et ils lui dirent: « Sire, aujourd'hui nous vous rendons le plus heureux, le plus chevalereux prince qui existât jamais depuis
5 la mort d'Alexandre de Macédoine.

– Couvrez, couvrez-vous, dit Picrochole.

– Grand merci, Sire, dirent-ils, nous accomplissons notre devoir. Voilà le moyen. [...] Vous passerez par le détroit de la Sibylle et là vous érigerez deux colonnes plus magnifiques que
10 celles d'Hercule[3], à la perpétuelle mémoire de votre nom. Et ce détroit sera nommé la mer Picrocholine.

« Passé la mer Picrocholine, voilà Barberousse[4] qui se rend votre esclave.

– J'accepterai sa reddition[5], dit Picrochole.

15 – Certes, dirent-ils, à condition qu'il se fasse baptiser.

« Et vous attaquerez les royaumes de Tunis, Hippone[6], Alger, Bône[7], Cyrénaïque[8], hardiment toute la Barbarie. Allant

---

1. **Fouaces**: gâteaux.
2. **Détroussées**: volées.
3. Les colonnes d'Hercule représentent symboliquement les deux monts qui marquent l'entrée du détroit de Gibraltar, où le héros mythique aurait accompli sa dixième épreuve.
4. **Barberousse** (1476-1546): corsaire arabe, sultan d'Alger.
5. **Reddition**: action de se rendre après une défaite.
6. **Hippone**: ville de Tunisie.
7. **Bône**: Bizerte, en Tunisie.
8. **Cyrénaïque**: région de Libye.

plus loin, vous mettrez la main sur Majorque, Minorque, la Sardaigne, la Corse et les autres îles de la mer Ligurique[1] et Baléare.

« Suivant la côte vers la gauche, vous dominerez toute la Gaule Narbonnaise, la Provence, les Allobroges[2], Gênes, Florence, Lucques et, Vive Dieu !, Rome. Le pauvre monsieur du pape meurt déjà de peur.

– Par ma foi, dit Picrochole, je ne baiserai pas sa pantoufle.

– L'Italie prise, voilà Naples, la Calabre, l'Apulie[3], et la Sicile mises à sac, et Malte avec. Je voudrais bien voir que les plaisants chevaliers jadis rhodiens[4] vous résistassent, pour les voir se pisser dessus.

François Rabelais, *Gargantua* [1534], trad. en français moderne par M.-M. Fragonard, Belin-Gallimard, « Classico », 2021.

Jean de La Fontaine, *Fables*

Jean de La Fontaine (1621-1695) est l'auteur des *Fables* (1668-1694). Il y fait notamment la satire de Louis XIV et de sa cour. La monarchie absolue du Roi-Soleil est dépeinte par le détour d'une narration imagée et par le biais des animaux, se protégeant ainsi de la censure.

La Cour du Lion

Sa Majesté Lionne un jour voulut connaître
De quelles nations le Ciel l'avait fait maître.
Il manda donc par députés
Ses vassaux de toute nature,
Envoyant de tous les côtés
Une circulaire écriture[5],

1. **Mer Ligurique** : mer autour du golfe de Gênes.
2. **Allobroges** : peuples gaulois des Alpes du Nord.
3. **Apulie** : Pouilles, région du sud de l'Italie.
4. **Rhodien** : de Rhodes, une île au large de la Turquie.
5. **Circulaire écriture** : convocation envoyée à plusieurs personnes.

Avec son sceau[1]. L'écrit portait
Qu'un mois durant le Roi tiendrait
Cour plénière[2], dont l'ouverture
10 Devait être un fort grand festin,
Suivi des tours de Fagotin[3].
Par ce trait de magnificence[4]
Le Prince à ses sujets étalait sa puissance.
En son Louvre[5] il les invita.
15 Quel Louvre ! Un vrai charnier[6], dont l'odeur se porta
D'abord au nez des gens. L'Ours boucha sa narine :
Il se fût bien passé de faire cette mine,
Sa grimace déplut. Le Monarque irrité
L'envoya chez Pluton[7] faire le dégoûté.
20 Le Singe approuva fort cette sévérité,
Et flatteur excessif il loua la colère
Et la griffe du Prince, et l'antre, et cette odeur :
Il n'était ambre, il n'était fleur,
Qui ne fût ail au prix[8]. Sa sotte flatterie
25 Eut un mauvais succès, et fut encore punie.
Ce Monseigneur du Lion-là
Fut parent de Caligula[9].
Le Renard étant proche : Or çà, lui dit le Sire,
Que sens-tu ? Dis-le-moi : parle sans déguiser.
30 L'autre aussitôt de s'excuser,
Alléguant un grand rhume : il ne pouvait que dire
Sans odorat ; bref, il s'en tire.
Ceci vous sert d'enseignement :

Groupements de textes

1. **Sceau** : cachet officiel.
2. **Cour plénière** : assemblée solennelle réunissant tous les grands du royaume.
3. **Fagotin** : singe de foire.
4. **Magnificence** : grande générosité.
5. **Louvre** : avant de devenir le célèbre musée parisien, il fit office de palais royal jusqu'au règne de Louis XIV.
6. **Charnier** : endroit où l'on conservait les viandes.
7. **Pluton** : dans la mythologie romaine, dieu des Enfers.
8. **Au prix** : comparable.
9. **Caligula** : empereur romain, à la cruauté légendaire.

Ne soyez à la cour, si vous voulez y plaire,
Ni fade adulateur, ni parleur trop sincère,
Et tâchez quelquefois de répondre en Normand[1].

Jean de La Fontaine, « La Cour du Lion », *Fables* [1678], livre VII,
Belin-Gallimard, « Classico », 2020.

Voltaire, *Dictionnaire philosophique*

Voltaire (1694-1778) compte parmi les philosophes des Lumières au côté de Diderot, Montesquieu, d'Alembert. Il a écrit de nombreuses œuvres théâtrales, des contes et une riche correspondance. Ses combats contre le fanatisme religieux et le pouvoir tyrannique ont nourri la contestation des régimes politiques absolus. Dans ses écrits, il défend la monarchie libérale britannique ou promeut les souverains éclairés d'Europe.

On appelle tyran le souverain qui ne connaît de lois que son caprice, qui prend le bien de ses sujets, et qui ensuite les enrôle pour aller prendre celui de ses voisins. Il n'y a point de ces tyrans-là en Europe.

On distingue la tyrannie d'un seul et celle de plusieurs. Cette tyrannie de plusieurs serait celle d'un corps qui envahirait les droits des autres corps, et qui exercerait le despotisme[2] à la faveur des lois corrompues par lui. Il n'y a pas non plus de cette espèce de tyrans en Europe.

Sous quelle tyrannie aimeriez-vous mieux vivre ? Sous aucune ; mais s'il fallait choisir, je détesterais moins la tyrannie d'un seul que celle de plusieurs. Un despote a toujours quelques bons moments ; une assemblée de despotes n'en a jamais. Si un tyran me fait une injustice, je peux le désarmer par sa maîtresse, par son confesseur, ou par son page[3] ; mais une compagnie de graves tyrans est inaccessible à toutes les

---

1. Une réponse de Normand est exprimée de manière évasive, sans trancher.
2. **Despotisme** : régime dans lequel une personne exerce un pouvoir autoritaire.
3. **Page** : jeune garçon noble placé auprès d'un seigneur.

séductions. Quand elle n'est pas injuste, elle est au moins dure, et jamais elle ne répand de grâces.

Si je n'ai qu'un despote, j'en suis quitte pour me ranger 20 contre un mur lorsque je le vois passer, ou pour me prosterner[1], ou pour frapper la terre de mon front, selon la coutume du pays ; mais s'il y a une compagnie de cent despotes, je suis exposé à répéter cette cérémonie cent fois par jour, ce qui est très-ennuyeux à la longue quand on n'a pas les jarrets[2] 25 souples. [...] Comment faire ? J'ai peur que dans ce monde on ne soit réduit à être enclume ou marteau[3] ; heureux qui échappe à cette alternative !

Voltaire, *Dictionnaire philosophique* [1764], article « Tyrannie », Gallimard, « Folio classique », 1994.

Groupements de textes

Victor Hugo, *Les Châtiments*

Victor Hugo (1802-1885) est le grand auteur du XIXe siècle. Son parcours politique l'a fait passer de la droite monarchique à un positionnement républicain affirmé. En 1848, il devient député de la IIe République, engagé en particulier pour lutter contre la misère. Lors du coup d'État du 2 décembre 1851, Louis Napoléon Bonaparte confisque le pouvoir aux institutions légitimes et réprime la révolte populaire dans le sang. Victor Hugo sera rapidement condamné à l'exil et devient le premier opposant du nouvel empereur.

Souvenir de la nuit du 4[4]

L'enfant avait reçu deux balles dans la tête.
Le logis était propre, humble, paisible, honnête ;

---

1. **Prosterner** : s'incliner en signe de soumission.
2. **Jarrets** : creux du genou.
3. **Être enclume ou marteau** : expression signifiant que l'on est pris entre deux partis, sans pouvoir éviter les coups de l'un ou de l'autre.
4. Le 4 septembre 1851 fut marqué par une sanglante répression envers le peuple de Paris, révolté contre le coup d'État de Louis Napoléon Bonaparte du 2 septembre.

On voyait un rameau[1] bénit sur un portrait.
Une vieille grand'mère était là qui pleurait.
5 Nous le déshabillions en silence. Sa bouche,
Pâle, s'ouvrait ; la mort noyait son œil farouche ;
Ses bras pendants semblaient demander des appuis.
Il avait dans sa poche une toupie en buis[2].
On pouvait mettre un doigt dans les trous de ses plaies.
10 Avez-vous vu saigner la mûre dans les haies ?
Son crâne était ouvert comme un bois qui se fend.
L'aïeule regarda déshabiller l'enfant,
Disant : – Comme il est blanc ! approchez donc la lampe.
Dieu ! ses pauvres cheveux sont collés sur sa tempe ! –
15 Et quand ce fut fini, le prit sur ses genoux.
La nuit était lugubre ; on entendait des coups
De fusil dans la rue où l'on en tuait d'autres. [...]
Puis elle dit, et tous pleuraient près de l'aïeule.
– Que vais-je devenir à présent toute seule ?
20 Expliquez-moi cela, vous autres, aujourd'hui.
Hélas ! je n'avais plus de sa mère que lui.
Pourquoi l'a-t-on tué ? je veux qu'on me l'explique.
L'enfant n'a pas crié vive la République. –
Nous nous taisions, debout et graves, chapeau bas,
25 Tremblant devant ce deuil qu'on ne console pas.
Vous ne compreniez point, mère, la politique.
Monsieur Napoléon, c'est son nom authentique,
Est pauvre, et même prince ; il aime les palais ;
Il lui convient d'avoir des chevaux, des valets,
30 De l'argent pour son jeu, sa table, son alcôve[3],
Ses chasses ; par la même occasion, il sauve
La famille, l'église et la société ;
Il veut avoir Saint-Cloud[4], plein de roses l'été,

1. **Rameau** : branche, symbole annonciateur du martyre du Christ.
2. Bois de buis.
3. **Alcôve** : renfoncement dans une pièce pour y placer un lit.
4. **Saint-Cloud** : palais impérial.

Où viendront l'adorer les préfets et les maires;
35 C'est pour cela qu'il faut que les vieilles grand'mères,
De leurs pauvres doigts gris que fait trembler le temps
Cousent dans le linceul des enfants de sept ans.

Jersey, 2 décembre 1852.

Victor Hugo, *Les Châtiments* [1853], Gallimard, «Poésie», 1998.

Jean Anouilh, *Antigone*

L'œuvre de Jean Anouilh (1910-1987) est traversée par la réinvention des mythes grecs ou germaniques. Dans *Antigone*, il modernise un épisode du cycle d'Œdipe. Les deux frères d'Antigone, Étéocle et Polynice, se sont entretués pour le trône de Thèbes. L'oncle d'Antigone, Créon, nouveau roi de la cité, interdit de donner une sépulture à Polynice. Antigone refuse la décision de Créon et se rend de nuit hors de la ville pour enterrer son frère. Elle est alors arrêtée par les gardes et conduite à Créon qui tente de la raisonner.

CRÉON. – Un matin, je me suis réveillé roi de Thèbes. Et Dieu sait si j'aimais autre chose dans la vie que d'être puissant...

ANTIGONE. – Il fallait dire non, alors!

CRÉON. – Je le pouvais. Seulement, je me suis senti tout d'un
5 coup comme un ouvrier qui refusait un ouvrage[1]. Cela ne m'a pas paru honnête. J'ai dit oui.

ANTIGONE. – Hé bien, tant pis pour vous. Moi, je n'ai pas dit «oui»! Qu'est-ce que vous voulez que cela me fasse, à moi, votre politique, vos nécessités, vos pauvres histoires? Moi, je
10 peux dire «non» encore à tout ce que je n'aime pas et je suis seul juge. Et vous, avec votre couronne, avec vos gardes, avec votre attirail[2], vous pouvez seulement me faire mourir parce que vous avez dit «oui».

---

1. **Ouvrage**: travail.
2. **Attirail**: équipement.

CRÉON. – Écoute-moi.

15 ANTIGONE. – Si je veux, moi, je peux ne pas vous écouter. Vous avez dit « oui ». Je n'ai plus rien à apprendre de vous. Pas vous. Vous êtes là, à boire mes paroles. Et si vous n'appelez pas vos gardes, c'est pour m'écouter jusqu'au bout.

CRÉON. – Tu m'amuses.

20 ANTIGONE. – Non. Je vous fais peur. C'est pour cela que vous essayez de me sauver. Ce serait tout de même plus commode de garder une petite Antigone vivante et muette dans ce palais. Vous êtes trop sensible pour faire un bon tyran, voilà tout. Mais vous allez tout de même me faire mourir tout à l'heure, 25 vous le savez, et c'est pour cela que vous avez peur. C'est laid un homme qui a peur.

CRÉON, *sourdement*. – Eh bien, oui, j'ai peur d'être obligé de te faire tuer si tu t'obstines. Et je ne le voudrais pas.

ANTIGONE. – Moi, je ne suis pas obligée de faire ce que je 30 ne voudrais pas ! Vous n'auriez pas voulu non plus, peut-être, refuser une tombe à mon frère ? Dites-le donc, que vous ne l'auriez pas voulu ?

CRÉON. – Je te l'ai dit.

ANTIGONE. – Et vous l'avez fait tout de même. Et maintenant, 35 vous allez me faire tuer sans le vouloir. Et c'est cela, être roi !

CRÉON. – Oui, c'est cela !

ANTIGONE. – Pauvre Créon ! Avec mes ongles cassés et pleins de terre et les bleus que tes gardes m'ont fait aux bras, avec ma peur qui me tord le ventre, moi je suis reine.

40 CRÉON. – Alors, aie pitié de moi, vis. Le cadavre de ton frère qui pourrit sous mes fenêtres, c'est assez payé pour que l'ordre règne dans Thèbes. Mon fils t'aime. Ne m'oblige pas à payer avec toi encore. J'ai assez payé.

ANTIGONE. – Non. Vous avez dit « oui ». Vous ne vous arrête-45 rez jamais de payer maintenant !

CRÉON, *la secoue soudain, hors de lui.* – Mais, bon Dieu ! Essaie de comprendre une minute, toi aussi, petite idiote ! J'ai bien essayé de te comprendre, moi. Il faut pourtant qu'il y en ait qui disent oui. Il faut pourtant qu'il y en ait qui mènent la barque.

Jean Anouilh, *Antigone* [1944], La Table ronde, « La Petite Vermillon », 2016.

Groupements de textes

Questions sur les groupements de textes

■ La figure du peintre dans le récit

1. a. À partir des différents textes, dites quels doivent être les talents et les connaissances d'un grand peintre. Justifiez votre réponse.
b. En quoi le personnage du peintre est-il romanesque ?
Pour répondre, appuyez-vous sur les différentes épreuves que doit surmonter le peintre avant de recevoir la reconnaissance du public.
c. Quels textes montrent des peintres qui doutent de leur talent ?

2. Dans quel texte le peintre est-il représenté comme un artiste de génie ? Quels auteurs le montrent comme un personnage réaliste ? un personnage fantastique ? Justifiez votre réponse.

Artiste de génie	Personnage réaliste	Personnage fantastique

3. En vous inspirant de l'un des textes du groupement, imaginez, dans un texte d'une quarantaine de lignes, que vous êtes un(e) grand(e) peintre et que vous donnez une leçon de peinture à votre disciple.

■ Images du tyran

1. a. Dans le dictionnaire en ligne du CNRTL, cherchez la définition et l'étymologie du mot « tyran ».
b. Qu'est-ce qu'un tyran selon Voltaire ? Quelle différence Voltaire apporte-t-il à l'idée de tyrannie ?

2. Quelle figure du tyran les différents extraits de ce groupement présentent-ils ? Rédigez votre réponse de manière argumentée, en citant les textes pour justifier vos analyses.

Autour de l'œuvre

Interview imaginaire de Marguerite Yourcenar

▸▸| *Pouvez-vous nous parler de votre enfance ?*

Je suis née le 8 juin 1903 à Bruxelles. Mon père est un aristocrate français, excentrique, qui aimait les voyages. Ma mère est née dans la province de Namur en Belgique. Elle est morte quand j'avais quelques jours et j'ai été élevée par ma grand-mère. J'ai raconté ma naissance dans *Souvenirs pieux*.

Marguerite Yourcenar (1903-1987)

▸▸| *Où avez-vous étudié ?*

Mon père s'est installé à Paris en 1912. J'ai pu profiter de visites des musées, de matinées au théâtre et de longues lectures à la bibliothèque. En 1914, mon père et moi avons embarqué pour l'Angleterre. Là, j'ai étudié l'anglais et le latin. Puis, de retour dans le Paris de la guerre, j'ai commencé le grec.

J'ai appris par mes propres moyens à lire les poètes italiens dans leur langue. J'ai lu à cette époque bon nombre d'auteurs classiques et de maîtres de la littérature européenne du XIXe siècle et j'ai passé, en 1919, un baccalauréat latin-grec.

▶▶| *Est-il vrai que vous avez changé de nom très tôt ?*

C'est un jeu que j'ai fait, très jeune, avec mon père en fabriquant l'anagramme de mon nom, Crayencour. J'ai fini par me servir exclusivement du nom Yourcenar, et c'est mon nom légal aux États-Unis depuis 1947.

▶▶| *Quelle part le voyage a-t-il occupé dans votre vie ?*

À partir de 1922, j'ai voyagé et découvert un grand nombre de pays : Italie, Suisse, Belgique, Hollande... J'ai séjourné longuement en Grèce, entre 1934 et 1938. C'est à cette période que j'ai écrit le recueil des *Nouvelles orientales*. J'ai voyagé toute ma vie et mes voyages ont d'une part nourri mon œuvre et, d'autre part, donné lieu à un certain nombre de conférences ou de rencontres dans les Instituts français.

▶▶| *Pourquoi avez-vous finalement choisi de vous installer aux États-Unis ?*

En février 1937, j'ai fait la connaissance à Paris de Grace Frick, une universitaire américaine, qui est devenue ma compagne. En 1950, nous nous sommes installées, Grace et moi, sur l'île des Monts-Déserts, dans l'État du Maine. C'est d'ailleurs là que j'ai terminé l'écriture de mon roman le plus célèbre, *Mémoires d'Hadrien*.

▶▶| *Laquelle de vos œuvres est la plus importante pour vous ?*

L'Œuvre au noir est mon livre le plus important. C'est mon œuvre la plus sombre. Je pense que le monde est cassé. Je voudrais un monde plus raisonnable, plus sage, meilleur. À partir des années 1955-1958, j'ai adhéré, en Europe et aux États-Unis, à de nombreux groupements de défense des droits civiques, de lutte en faveur de la paix, contre la prolifération nucléaire, contre la surpopulation et pour la protection du milieu naturel. Les allusions à ces sujets ont été de plus en plus fréquentes dans mes livres.

⏭ *Parlez-nous de votre élection à l'Académie française en 1980. Vous êtes la première femme à y être entrée, c'est un événement historique.*

J'ai été touchée que l'on pense à moi. Mais je dois avouer que je n'ai guère fréquenté les bancs de l'Académie. La soif de voyages a été plus forte, et je suis très vite allée au Kenya et en Inde. En ce qui concerne l'Académie et les femmes, je ne peux que vous relire un passage de mon discours de réception: « Vous m'avez accueillie. Ce moi incertain et flottant [...], et que je ne sens vraiment délimité que par les quelques ouvrages qu'il m'est arrivé d'écrire, le voici, tel qu'il est, entouré, accompagné d'une troupe invisible de femmes qui auraient dû, peut-être, recevoir plus tôt cet honneur, au point que je suis tentée de m'effacer pour laisser passer leurs ombres. »

Contexte historique et culturel

Lors de la publication des *Nouvelles orientales* en 1938, la scène littéraire française est dominée par le surréalisme, notamment dans les domaines du roman et de la poésie. Le goût pour l'Orient est déjà présent dans le paysage culturel français depuis de nombreuses années. Mais Marguerite Yourcenar se démarque des courants de son époque par une écriture poétique classique, nourrie de sa connaissance de la littérature grecque et latine, et par le choix de la nouvelle. Elle affirme ainsi son indépendance et son ambition littéraire, en ne suivant pas le choix des artistes de s'engager politiquement.

Le surréalisme en poésie

Dans les années 1930, la poésie demeure un genre très prisé. Après la Première Guerre mondiale, qui a traumatisé toute l'Europe, la révolte poétique s'est pleinement exprimée, jusqu'au nihilisme, refusant toute valeur morale ou politique. Les idées bourgeoises sont rejetées par les rebelles du mouvement dada, qui sèment le désordre en proposant une poésie joyeusement insensée ; puis par les surréalistes groupés autour d'André Breton. Marguerite Yourcenar se sent plus proche de Paul Valéry et de sa « Jeune Parque », œuvre lyrique à l'écriture classique. Indépendante, elle rejette les écoles et les clans. Elle cherche sa propre voie, qui s'affirme avec la prose poétique des *Nouvelles orientales*.

Une écriture tournée vers l'Orient

Depuis le XVIIIe siècle et la traduction des *Mille et Une Nuits* par Antoine Galland, la littérature européenne se tourne vers l'Orient. Ce mouvement se renforce avec la campagne d'Égypte (1798) menée par Napoléon Bonaparte et la colonisation au XIXe siècle. En témoignent les œuvres de Gustave Flaubert (*Salammbô*, 1862) ou de Pierre Loti (*Aziyadé*, 1879). Les auteurs et les peintres offrent au public occidental la vision d'un Orient fantasmé et érotisé, mettant en valeur la figure sensuelle de la femme orientale (Eugène Delacroix, *Femmes d'Alger*, 1834). Marguerite Yourcenar s'inscrit dans cette tradition: elle accorde une place certaine à la rêverie et à la contemplation et elle reprend dans son œuvre la figure du tyran, effrayant de violence, que l'on peut voir dans le théâtre (Eschyle, *Les Perses*, 472 avant J.-C.), le roman (Flaubert, *Salammbô*) ou la peinture (Eugène Delacroix, *La Mort de Sardanapale*, 1827). Cependant, l'autrice de *Comment Wang-Fô fut sauvé* renouvelle cette image de l'Orient en l'ancrant dans une Chine étrangère et poétique.

L'art de la nouvelle

Si le roman domine l'écriture narrative au XXe siècle, de grands recueils de nouvelles sont écrits à la suite d'auteurs anglo-saxons, tels James Joyce (*Gens de Dublin*, 1914) ou Virginia Woolf (*La Maison hantée*, 1921). Marguerite Yourcenar a rencontré cette dernière à Londres en 1937. Les *Nouvelles orientales* font aujourd'hui partie des ouvrages les plus appréciés de l'art français de la nouvelle, au côté de ceux de Guy de Maupassant, dont elle emprunte le registre fantastique, d'Albert Camus ou de Pierre Michon.

Représenter les bouleversements de l'époque

Dans une période marquée par des bouleversements politiques de grande ampleur, qui seront à l'origine de la Seconde Guerre mondiale, artistes et écrivains choisissent la voie du réalisme, pour ancrer leurs univers romanesques dans les combats politiques contemporains. Avec André Malraux, le roman peut aussi prendre une dimension épique, comme dans *La Condition humaine* (1933). Du côté du cinéma, les réalisateurs s'efforcent de représenter les classes populaires, en particulier Jean Renoir (*La Bête humaine*, 1938) et Julien Duvivier (*La Belle Équipe*, 1936). Pour sa part, Marguerite Yourcenar ne choisit pas des héros modestes porteurs d'idéaux politiques. Elle a pour ambition de présenter la vie d'Hadrien, grand empereur du IIe siècle. Ce projet, repris plusieurs fois, aboutira lors de la publication des *Mémoires d'Hadrien* en 1951, œuvre couronnée d'un immense succès populaire et d'une reconnaissance critique.

Repères chronologiques

1903	Naissance de Marguerite de Crayencour. Yourcenar devient son patronyme en 1947, lorsqu'elle prend la nationalité américaine.
1914-1918	**Première Guerre mondiale.** Marguerite Yourcenar est à Londres.
1917	**Révolution russe.**
1924	*Manifeste du surréalisme.*
1936	**Le Front populaire accède au pouvoir en France.**
1929	**Crise économique mondiale. Les régimes fascistes s'établissent dans de nombreux États d'Europe.**
1938	**Anschluss : l'Allemagne nazie annexe l'Autriche.** Publication des *Nouvelles orientales.*
1939-1945	**Seconde Guerre mondiale.** En 1939, Marguerite Yourcenar rejoint Grace Frick aux États-Unis.
1949	**Proclamation de la République populaire de Chine par Mao Zedong.** Simone de Beauvoir publie *Le Deuxième Sexe.*
1951	Marguerite Yourcenar, *Mémoires d'Hadrien.*
1953	**Mort de Joseph Staline (URSS).**
1963	**Assassinat de John Fitzgerald Kennedy (États-Unis).**
1964-1975	**Guerre du Vietnam.**
1968	Marguerite Yourcenar, *L'Œuvre au noir.*
1980	**Ronald Reagan devient président des États-Unis.** Marguerite Yourcenar est la première femme élue à l'Académie française.
1987	Mort de Marguerite Yourcenar.
1989	**Chute du mur de Berlin.**
2001	**Attentats du World Trade Center à New York.**

Les grands thèmes de l'œuvre

Des personnages opposés : entre sagesse et violence

Maître et disciple : un couple inséparable

Comme Phileas Fogg et Passepartout dans *Le Tour du monde en quatre-vingts jours* (1873) de Jules Verne, Wang-Fô et Ling forment un couple maître-disciple. Le maître est possesseur d'une technique et d'une philosophie, un art de peindre reconnu par un large public. Ling se met à son service et fait preuve de sollicitude envers son maître : « Son disciple Ling, pliant sous le poids d'un sac plein d'esquisses, courbait respectueusement le dos comme s'il portait la voûte céleste » (p. 9, l. 10-11). Ling l'accompagne partout et l'assiste dans toutes les situations de la vie quotidienne : se nourrir, trouver un toit pour dormir, porter son matériel et préparer ses couleurs.

Leur rencontre s'apparente à un coup de foudre amoureux, une nuit d'orage. Ils seront inséparables. La mort même semble incapable de défaire leur lien : « Vous vivant, dit respectueusement Ling, comment aurais-je pu mourir ? » (p. 39, l. 341-342). La relation n'est pas à sens unique, dans la mesure où Ling reçoit une part des connaissances de son maître : « Ce soir-là, Ling apprit avec surprise que les murs de sa maison n'étaient pas rouges » (p. 11, l. 53-54). Marguerite Yourcenar accorde aux deux personnages une importance équivalente : ils apparaissent ensemble dans le récit, de même ils disparaissent simultanément, à la fin de la nouvelle, dans le brouillard du tableau final.

L'Empereur : un tyran sanguinaire

Le personnage de l'Empereur constitue l'opposant de Wang-Fô. Le tyran le fait arrêter de manière arbitraire et le condamne à un châtiment atroce pour un artiste : « Et pour t'enfermer dans le seul cachot dont tu ne puisses sortir, j'ai décidé qu'on te brûlerait les yeux, puisque tes yeux, Wang-Fô, sont les deux portes magiques qui t'ouvrent ton royaume» (p. 36, l. 251-254). Le Dragon Céleste a les caractéristiques du souverain mauvais qui abuse de son pouvoir: il est injuste et cruel, en particulier lors de l'épisode de la décapitation de Ling. Marguerite Yourcenar le dépeint comme un être colérique, montrant par là qu'il ne se contrôle pas lui-même.

Son palais, que le narrateur décrit avec un luxe de détails, s'apparente à une prison. Il s'agit alors de montrer la solitude du tyran, qui ne peut supporter la présence du monde extérieur, même sous la forme d'un chant d'oiseau: «aucun oiseau n'avait été admis à l'intérieur de l'enceinte» (p. 23, l. 159-160). Marguerite Yourcenar donne une raison possible à cette forme de déraison: le Fils du Ciel a été éduqué dans la solitude durant toute son enfance (p. 34).

De ce fait, Marguerite Yourcenar restitue à ce personnage une part d'humanité, qu'il va gagner par sa noyade symbolique (p. 39), à l'issue de la nouvelle.

Un pouvoir supérieur

Loin d'incarner un être ambitieux qui peut rivaliser avec les puissants, Wang-Fô est un peintre humble: «Wang-Fô aimait l'image des choses, et non les choses elles-mêmes, et nul objet au monde ne lui semblait digne d'être acquis, sauf des pinceaux» (p. 9, l. 4-6). Il se détourne ainsi des biens du monde, de la richesse et des honneurs pour se consacrer à son art.

Mais Wang-Fô, à la manière du sculpteur Pygmalion qui donne vie à sa création, la statue Galatée, possède une puissance étrange: «On disait que Wang-Fô avait le pouvoir de donner la vie à ses peintures» (p. 21, l. 95-96). Ce pouvoir prend une dimension fantastique dans la suite de la nouvelle et le tableau devient un paysage dans lequel les personnages pénètrent.

Une réflexion poétique

L'écriture : un art de la peinture

Entre l'art du poète et l'art du peintre, lequel surpasse l'autre ? Depuis le poète Horace (Ier siècle), cette rivalité a souvent été présente dans la littérature.

Dans la nouvelle *Comment Wang-Fô fut sauvé*, cette concurrence, qui est aussi une source d'enrichissement car elle pousse à se surpasser, peut se lire dans la relation entre le narrateur et le personnage du peintre. Cela se traduit par l'usage des comparaisons, qui relèvent, tantôt de l'art du poète, tantôt de l'art du peintre : « L'épouse de Ling était frêle comme un roseau, enfantine comme du lait, douce comme la salive, salée comme les larmes » (p. 10, l. 25-27). Cette description de l'épouse de Ling est une annonce du tableau à venir, que réalisera le peintre et qui scellera le destin funeste du personnage.

Ici, le poète et le peintre s'inspirent mutuellement. Marguerite Yourcenar nous présente une relation féconde, où la poésie et la peinture sont en miroir : Wang-Fô, par sa technique, son regard et sa sagesse, peut être compris comme un double de l'écrivaine.

La dimension fantastique de l'œuvre

Marguerite Yourcenar emploie aussi les codes du genre fantastique. L'art de peindre de Wang-Fô est montré comme une technique quasi magique : « On disait que Wang-Fô avait le pouvoir de donner la vie à ses peintures par une dernière touche de couleur qu'il ajoutait à leurs yeux » (p. 21, l. 95-97). Plus loin dans la nouvelle, les tableaux prennent vie, les morts ressuscitent, voilà des indices qui mettent en suspens le jugement du lecteur et le font douter. Si Marguerite Yourcenar s'empare du genre fantastique (*fanstasma* en grec), c'est parce qu'il interroge le rôle de l'image et sa puissance d'évocation.

Vers l'écrit du Brevet

L'épreuve de français du Brevet dure trois heures et est notée sur 100 points. Elle est composée d'un travail de compréhension et d'interprétation d'un texte littéraire, et éventuellement d'une image en rapport avec le texte. Ce travail comprend des questions de grammaire ainsi qu'un exercice de réécriture. L'épreuve comporte également une dictée et une rédaction.

SUJET

A. Texte littéraire

Marguerite Yourcenar, *Comment Wang-Fô fut sauvé* (1936)

L'Empereur vient de prononcer la condamnation du peintre. Ling, son disciple, s'insurge contre la sentence.

Ling fit un bond en avant pour éviter que son sang ne vînt tacher la robe du maître. Un des soldats leva son sabre, et la tête de Ling se détacha de sa nuque, pareille à une fleur coupée. Les serviteurs emportèrent ses restes, et Wang-Fô,

5 désespéré, admira la belle tache écarlate[1] que le sang de son disciple faisait sur le pavement de pierre verte.

L'Empereur fit un signe, et deux eunuques essuyèrent les yeux de Wang-Fô.

– Écoute, vieux Wang-Fô, dit l'Empereur, et sèche tes 10 larmes, car ce n'est pas le moment de pleurer. Tes yeux doivent rester clairs, afin que le peu de lumière qui leur reste ne soit pas brouillée par tes pleurs. Car ce n'est pas seulement par rancune que je souhaite ta mort ; ce n'est pas seulement par cruauté que je veux te voir souffrir. J'ai d'autres 15 projets, vieux Wang-Fô. Je possède dans ma collection de tes œuvres une peinture admirable où les montagnes, l'estuaire des fleuves et la mer se reflètent, infiniment rapetissés sans doute, mais avec une évidence qui surpasse celle des objets eux-mêmes, comme les figures qui se mirent[2] sur les parois 20 d'une sphère. Mais cette peinture est inachevée, Wang-Fô, et ton chef-d'œuvre est à l'état d'ébauche[3]. Sans doute, au moment où tu peignais, assis dans une vallée solitaire, tu remarquas un oiseau qui passait, ou un enfant qui poursuivait cet oiseau. Et le bec de l'oiseau ou les joues de l'enfant 25 t'ont fait oublier les paupières bleues des flots. Tu n'as pas terminé les franges du manteau de la mer, ni les cheveux d'algues des rochers. Wang-Fô, je veux que tu consacres les heures de lumière qui te restent à finir cette peinture, qui contiendra ainsi les derniers secrets accumulés au cours de 30 ta longue vie.

Marguerite Yourcenar, « Comment Wang-Fô fut sauvé »,
Nouvelles orientales [1938], © Éditions Gallimard, 1979.

1. **Écarlate** : rouge éclatant.
2. **Se mirent** : se regardent (du verbe « se mirer »).
3. **Ébauche** : première forme, imparfaite, que l'artiste donne à une œuvre.

B. Image

Claude Lorrain, *Le Gué*, 1644, Musée du Prado, Madrid (Espagne).

➡ **Voir image reproduite en début d'ouvrage, au verso de la couverture.**

Travail sur le texte littéraire et sur l'image

(1 h 10, 50 points)

Les réponses doivent être entièrement rédigées.

■ *Compréhension et compétences d'interprétation*

1. Où se déroule la scène ? Décrivez les personnages en présence. **(2 points)**

2. Quel est le point de vue du narrateur (interne, externe, omniscient) ? Justifiez votre réponse. **(2 points)**

3. a. Quel détail attire l'attention de Wang-Fô après l'exécution de son disciple ? **(2 points)**
b. Relevez les deux émotions que le peintre ressent. **(2 points)**

4. a. Résumez la requête de l'Empereur (l. 15-30). **(2 points)**
b. Comment justifie-t-il cette demande ? **(2 points)**

5. Montrez que l'Empereur se comporte comme un tyran. Justifiez votre réponse en donnant deux arguments et en citant le texte. **(4 points)**

6. a. Relevez une comparaison dans la dernière partie du texte (l. 9-30). Quel effet produit cette image sur le lecteur ? **(2 points)**
b. Précisez les éléments qui donnent de la beauté à cette scène. **(4 points)**

7. Décrivez le paysage représenté par le tableau de Claude Lorrain (document B). En quoi diffère-t-il de celui que Marguerite Yourcenar décrit lignes 15-27. **(6 points)**

Grammaire et compétences linguistiques

8. a. « Sabre », ligne 2.
Donnez la classe grammaticale et un synonyme de ce mot. **(2 points)**
b. « Mais cette peinture est <u>inachevée</u> », ligne 20.
Donnez la nature et la fonction du mot souligné. **(2 points)**

9. « Écoute », ligne 9.
Précisez le temps et le mode du verbe. **(2 points)**

10. « Je possède dans ma collection de tes œuvres une peinture admirable où les montagnes, l'estuaire des fleuves et la mer se reflètent », lignes 15-17.
Relevez et classez les expansions du nom. **(6 points)**

11. « Ling fit [...] la belle tache écarlate », lignes 1-5.
Réécrivez ce passage en commençant par : « Ling <u>a fait</u>... »
Faites les modifications nécessaires. **(10 points)**

Dictée (20 minutes, 10 points)

Votre professeur vous dictera cet extrait : de « La pulsation des rames » (p. 40, l. 375) à la fin.
On inscrira au tableau de manière lisible par l'ensemble des candidats les mots : Wang-Fô ; Ling.

Rédaction (1 h 30, 40 points)

Vous traiterez au choix l'un des sujets suivants.

Sujet d'imagination

Vous êtes l'avocat(e) chargé(e) de la défense de Wang-Fô.
Devant l'Empereur, vous demandez la grâce de votre client.
Après une introduction rappelant les faits, votre plaidoirie développera trois arguments avant de conclure. Vous emploierez l'expression des émotions pour persuader votre destinataire. Vous soignerez l'expression et l'orthographe de votre texte. Votre rédaction sera d'une longueur minimale d'une soixantaine de lignes (300 mots environ).

Sujet de réflexion

Les artistes contribuent à rendre le monde plus beau et meilleur.
Vous discuterez cette opinion.
Votre réflexion s'appuiera sur des arguments et des exemples tirés de votre expérience, de vos lectures et des films que vous avez vus.
Vous citerez au moins un exemple extrait de *Comment Wang-Fô fut sauvé* de Marguerite Yourcenar.
Vous utiliserez l'expression de la cause et de la conséquence pour justifier vos idées. Vous veillerez à la clarté de votre expression et au respect de l'orthographe. Votre rédaction sera d'une longueur minimale d'une soixantaine de lignes (300 mots environ).

Fenêtres sur...

 *Des ouvrages à lire*

Vers l'Orient

• Marguerite Yourcenar, *Nouvelles orientales* [1938], Gallimard, « L'Imaginaire », 1978.
Un des grands recueils de nouvelles de la littérature française. De la Chine à la Grèce, des Balkans au Japon, des contes poétiques pour découvrir la prose de l'autrice française la plus célébrée du XXe siècle, avec Simone de Beauvoir et Marguerite Duras.

• Dai Sijie, *Balzac et la Petite Tailleuse chinoise*, Gallimard, « Folio », 2001.
Dans la République populaire de Chine, Luo part faire rallonger un pantalon chez un tailleur. Il rencontre la fille de ce dernier, surnommée la « petite tailleuse ». Les deux jeunes gens tombent amoureux.

• Olivia Rosenthal, *Les Sept Voies de la désobéissance*, Verticales, 2004.
Un vieux maître veut éprouver l'obéissance de trois disciples. Il les met à l'épreuve. Un conte cruel qui fait la satire de la sagesse extrême-orientale.

• Lian Hearn, *Le Clan des Otori*, traduit par Philippe Giraudon, Gallimard, «Folio», 2005.
Dans le Japon médiéval, Takeo, un jeune garçon, grandit dans une communauté paisible. Un jour, sa famille est massacrée par un seigneur cruel.

• Robert Van Gulik, *Les Aventures du juge Ti*, tome I, traduit par Roger Guerbet, Anne Krief, La Découverte/Pulp Fictions, 2009.
Dans la Chine des Tang, le juge Ti mène l'enquête. Le lecteur prend plaisir à suivre ce grand enquêteur et son sabre légendaire, dans les différentes provinces de l'Empire, au service de l'empereur. Ti retrouve les assassins et déjoue les complots dans la grande tradition du roman policier chinois.

Sur la peinture

• Honoré de Balzac, *Le Chef-d'œuvre inconnu et autres nouvelles* [1832], Gallimard, «Folio classique», 2015.
Dans la célèbre nouvelle d'Honoré de Balzac, sur le peintre et son chef-d'œuvre, Nicolas Poussin, jeune peintre, rencontre Frenhofer, un peintre de génie. Quand la peinture pousse le personnage du peintre au bord de la folie.

• Nicolas Gogol, *Le Portrait* [1835], traduit par Henri Mongault, Gallimard, «Folio bilingue», 1998.
Tchartkov, un jeune peintre, s'arrête devant un vendeur de tableaux. Poussé par le vendeur, il fait l'acquisition d'un portrait d'homme au regard fascinant. Une nuit, le tableau prend vie.

• Edgar Allan Poe, «Le Portrait ovale», *Nouvelles histoires extraordinaires* [1842], traduit par Charles Baudelaire, Le Livre de Poche, 1972.
Un homme blessé s'installe dans un étrange château avec son domestique. Une nuit, alors qu'il cherche le sommeil, il contemple les tableaux de la chambre. Un des tableaux représente une jeune fille mystérieuse.

• Émile Zola, *L'Œuvre* [1886], Gallimard, « Folio classique », 2006.
Le célèbre roman d'Émile Zola raconte la carrière de Claude Lantier, peintre impressionniste, dont les œuvres font scandale. Un roman qui s'inspire de l'amitié entre Émile Zola et le grand peintre Paul Cézanne.

• Oscar Wilde, *Le Portrait de Dorian Gray* [1891], traduit par Vladimir Volkoff, Le Livre de Poche, 1972.
Dorian Gray, un jeune dandy mondain, fait un vœu : qu'il conserve intactes sa jeunesse et sa beauté, et que son autoportrait vieillisse à sa place. Le tableau se charge des vices du personnage. Dorian Gray conserve son visage angélique.

• David Foenkinos, *Charlotte*, Gallimard, « Folio », 2014.
Le roman raconte la vie de Charlotte Salomon, artiste de génie morte à 26 ans dans des circonstances tragiques.

• Élise Fontenaille, *Bansky et moi*, Éditions du Rouergue, 2014.
Darwin, jeune adolescent d'origine somalienne, vit seul à Paris avec sa mère, chauffeuse de taxi de nuit. C'est un gamin des rues d'aujourd'hui, débrouillard et curieux de tout, notamment des peintures murales qui fleurissent dans son quartier. Un roman de jeunesse pour découvrir le plus célèbre des street artists.

• Claire Lecœuvre, Vincent Mahé, *L'Incroyable Vie des paysages*, Actes Sud Junior, 2016.
Un bel album pour célébrer les plus beaux paysages du monde, des chutes du Niagara au lac Baïkal. Un documentaire qui évoque la formation des sites naturels les plus étonnants de la planète, entre science et culture.

• Camille Gautier, *Dans l'atelier des artistes*, Actes Sud, 2019.
Un livre qui nous plonge dans le laboratoire des plus grands artistes. Pour entrer dans le secret des peintres, de leurs outils et de leurs gestes.

• Maylis de Kerangal, *Un monde à portée de main* [2018], Gallimard, « Folio », 2020.
Jeune étudiante dans une prestigieuse école de peinture à Bruxelles, Paula Karst apprend l'art de peindre. Le grand roman de Maylis de Kerangal sur l'art du trompe-l'œil.

Des films à voir

(Toutes les œuvres citées ci-dessous sont disponibles en DVD ou sur Internet.)

• *Le Dernier Empereur*, Bernardo Bertolucci, 1987, avec John Lone.
Ce chef-d'œuvre présente la vie de Puyi, dernier empereur de Chine, contraint d'abdiquer à l'âge de 6 ans. Comme le personnage de Marguerite Yourcenar, Puyi vit d'abord comme un prisonnier à l'intérieur de la Cité interdite de Pékin, où il ne dispose d'aucun pouvoir. Puyi va recevoir une éducation occidentale et mener une vie de dandy.

• *Van Gogh*, Maurice Pialat, 1991, avec Jacques Dutronc.
Le film raconte les derniers jours de la vie du grand peintre impressionniste. Il montre le personnage en train de regarder la nature, de s'efforcer de traduire par la peinture les lumières, les reflets et les couleurs. Jacques Dutronc, dans le rôle du peintre, réussit l'une de ses meilleures interprétations.

• *Tigre et dragon*, Ang Lee, 2000, avec Chow Yun Fat, Michelle Yeoh.
Chef-d'œuvre du genre, couronné de quatre Oscars, le film présente une Chine pittoresque au XVIIIe *siècle. Deux amis, tiraillés entre le devoir et la passion, cherchent une jeune voleuse, qui a dérobé une épée magique. Le film est d'une grande virtuosité, tant dans la peinture des combats que par l'évocation d'un univers poétique et romanesque.*

• *Séraphine*, Martin Provost, 2008, avec Yolande Moreau.
Voici la vie de Séraphine de Senlis, une peintre autodidacte et naïve, qui vécut dans une grande pauvreté. Le film, par l'interprétation magistrale de Yolande Moreau, montre cette artiste simple, méconnue, qui choisit de représenter le monde végétal et les fleurs. Le spectateur découvre son destin à la fois extraordinaire et tragique.

Des œuvres d'art à découvrir

(Toutes les œuvres d'art des artistes cités ci-dessous peuvent être vues sur Internet.)

• **Wang Wei (699-759)**
Un des maîtres de la calligraphie et l'un des fondateurs de la peinture de paysage. Wang Wei pratiqua tous les arts, la poésie, la peinture et la musique. Il représente aussi l'idéal de l'artiste ermite que poursuivront des générations d'artistes. L'artiste peut ainsi consacrer sa vie, loin des villes et de la cour, à la peinture et à la contemplation.

• **Zhang Zeduan (1085-1145)**
Peintre auquel on attribue la version originale de La Fête de Qingming au bord de la rivière, *une longue peinture sur rouleau représentant la vie quotidienne durant la dynastie des Song. C'est l'un des exemples d'immenses peintures horizontales, au-delà de dix mètres, donnant à voir avec minutie la vie, l'architecture et les paysages. L'œuvre représente la fête des morts et ses rituels.*

• **Shen Zhou (1427-1509)**
L'un des grands artistes sous la dynastie Ming. Il incarne le moine lettré, vivant retiré du monde. C'est l'un des fondateurs de l'école de Wu, qui développe une peinture de paysage sur rouleau, à l'encre et à la couleur. Montagnes, ciel, arbres constituent les éléments premiers des paysages verticaux qui idéalisent un art de vivre à l'écart du monde.

• **Dong Qichang (1555-1636)**
Grand artiste de la fin de la dynastie Ming, auteur d'une grande œuvre picturale et calligraphique, fondatrice d'une nouvelle approche de la peinture de paysage. Son travail fait référence aux œuvres du passé.

• **Zao Wou-Ki (1920-2013)**
Son œuvre est marquée par les influences croisées de l'art chinois, de l'abstraction lyrique et de l'Action painting américain des années 1950, mouvement dans lequel le corps était partie prenante dans la création de l'œuvre. Zao Wou-Ki s'affirme comme l'une des figures majeures de l'art mondial. Son œuvre est aujourd'hui exposée dans les plus grands musées du monde.

• **Ai Weiwei (né en 1957)**
Sculpteur, performeur, artiste provocateur et défenseur de la liberté d'expression, il vit en exil au Portugal depuis 2015. Son œuvre engagée et polémique a été exposée au musée du Jeu de paume en 2011.

@ Des sites Internet à consulter

• **https://www.guimet.fr/sites/han/#.YXAojmHVnOo.gmail**
Exposition « Splendeurs des Han, essor de l'Empire céleste », musée Guimet, Paris.
Dans le grand musée parisien des arts asiatiques, une belle exposition sur l'Empire des Han, sa vie aristocratique, ses rites funéraires : bronzes, laques, céramiques, jades. Des objets d'exception pour dire une culture humaniste.

• **http://expositions.bnf.fr/chine**
Chine, l'Empire du trait, BnF, Paris
L'art de la calligraphie joue un rôle important dans la civilisation chinoise. « L'unique Trait de Pinceau est l'origine de toutes choses, la racine de tous les phénomènes », écrit le moine Shitao.

• **https://www.museeyourcenar.fr**
Musée Marguerite-Yourcenar
Un petit musée à Saint-Jans-Cappel (Hauts-de-France) qui présente l'enfance de Marguerite Yourcenar; une reconstitution du bureau de sa résidence de Petite-Plaisance, aux États-Unis, où elle écrivit L'Œuvre au noir*; des documents relatant son élection à l'Académie française.*

• **https://www.lumni.fr/video/apprendre-a-peindre-un-paysage-15-avril**
Apprendre à peindre un paysage
Une vidéo pour apprendre à peindre un paysage.

Pour obtenir plus d'informations, bénéficier d'offres spéciales enseignants ou nous communiquer vos attentes, renseignez-vous sur **www.collection-classico.com** ou envoyez un courriel à **contact.classico@editions-belin.fr**

Cet ouvrage a été composé par Palimpseste à Chevreuse.
Iconographie : Any-Claude Médioni.
Mise en pages de la couverture et du cahier photos : Véronique Rossi.
La pâte à papier utilisée pour la fabrication du papier de cet ouvrage provient de forêts certifiées et gérées durablement.
Imprimé en Espagne par Novoprint (Barcelone)
Dépôt légal : août 2022 – N° d'édition : 03582353-01

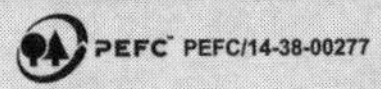